LA DOUBLE VIE DE VERMEER

DU MÊME AUTEUR

La Double Vie de Vermeer, Actes Sud, 2006.
La Jeune Mariée juive, Actes Sud, 2007 ; Babel n° 994.
Les Sentiers du ciel, Actes Sud, 2010.
Une étrange histoire d'amour, Actes Sud, 2012 ; Babel n° 1441.
Le Sosie d'Adolf Hitler, Actes Sud, 2017.

Titre original :
La Doppia vita di Vermeer

ISBN 978-2-7427-6777-9

LUIGI GUARNIERI

LA DOUBLE VIE DE VERMEER

roman traduit de l'italien
par Marguerite Pozzoli

A table, conversation animée, moi très à mon aise, Proust, Kafka, Picasso, Vermeer, enfin ça s'est trouvé comme ça, sans le vouloir en quelque sorte, sur Vermeer, je peux dire que j'ai brillé, biographie, caractère de l'homme, œuvres principales, avec remarques techniques et indications des musées, il a vu que je m'y connaissais.

ALBERT COHEN,
Belle du Seigneur, 1968.

Grâce à l'art, au lieu de voir un seul monde, le nôtre, nous le voyons se multiplier, et autant qu'il y a d'artistes originaux, autant nous avons de mondes à notre disposition, plus différents les uns des autres que ceux qui roulent dans l'infini et, bien des siècles après qu'est éteint le foyer dont il émanait, qu'il s'appelât Rembrandt ou Vermeer, nous envoient encore leur rayon spécial.

MARCEL PROUST,
Le Temps retrouvé, 1927.

Faux ? Imitation ? On peut citer de manière totalement originale. Pour la raison, aussi, que seul un inventeur sait comment emprunter.

RALPH W. EMERSON
Quotation and Originality, 1841.

I

A la fin du mois de mai 1945, à Amsterdam, deux officiers du Service de sécurité néerlandais se présentèrent à la porte d'une grande demeure aristocratique sur le Keizersgracht. A vrai dire, ils s'attendaient à ce que la rencontre avec le personnage irascible, excentrique et réservé qui habitait là – un peintre, également très connu comme collectionneur et apparemment très estimé des voisins – ne soit rien d'autre qu'une simple formalité, voire même une regrettable perte de temps. Ils n'avaient aucune raison de soupçonner que M. Van Meegeren entretînt des relations d'affaires inconvenantes avec l'ennemi. On savait qu'il avait dilapidé d'énormes sommes d'argent pendant la guerre, mais, tout compte fait, il avait gagné le gros lot à la Loterie nationale ; certains affirmaient même qu'il l'avait gagné deux fois. De plus, il avait réussi quelques coups de maître, tout à fait légitimes, dans le domaine du commerce d'antiquités. Enfin, il avait délégué à un éminent collègue la vente du *Christ et la Femme adultère*, de Vermeer, et ne pouvait donc être retenu coupable du fait que ce tableau était tombé entre les griffes des nazis. C'était plutôt le respectable M. Van Strijvesande qui aurait dû fournir des explications détaillées à ce sujet. Reçus par M. Van Meegeren avec une impolitesse nonchalante, les deux officiers se limitèrent à l'informer que, compte tenu de l'importance indéniable de l'œuvre en question, du prix extrêmement élevé qui avait été payé par l'acquéreur et de l'identité scabreuse de celui-ci, ils souhaitaient savoir qui lui avait confié le tableau. Rien de plus. Inutile d'ajouter que cette information – s'empressèrent-ils de souligner avec force – resterait strictement confidentielle.

Sans ciller, M. Van Meegeren leur dit qu'il avait acheté cette peinture avant la guerre, à une "vieille famille italienne" dont il ne spécifia pas le nom. Il précisa qu'il était tenu à la plus grande discrétion concernant l'identité de ses clients ; après quoi, il se refusa à fournir d'autres précisions aux officiers. Mais il comprit tout de suite qu'il avait commis une erreur grossière en disant que le tableau pouvait provenir d'Italie : en effet, les officiers en conclurent que M. Van Meegeren avait joué un rôle de médiateur entre le gouvernement fasciste et les nazis. En outre, le fait que ce même Van Meegeren s'obstinât à ne pas révéler le nom du vendeur leur fit supposer que le tableau avait été volé. Les justifications que M. Van Meegeren se décida à fournir aux officiers, après un interrogatoire serré, pouvaient même paraître sensées : le vendeur n'avait pas voulu informer le monde entier qu'il se défaisait de ses bijoux de famille, et il avait donc exigé que son identité restât secrète. Toutefois, cette charmante histoire, qui avait fonctionné à merveille même auprès des antiquaires les plus subtils, ne plut absolument pas aux pragmatiques officiers du Service de sécurité. Pire : ils la jugèrent totalement inacceptable, le type même du mensonge éculé qu'un collaborateur aurait servi à des enquêteurs pour éviter d'avoir des ennuis.

L'interrogatoire reprit, encore plus acharné, et, en l'espace de quelques minutes, les certitudes granitiques de M. Van Meegeren semblèrent s'effriter sous les coups de boutoir des officiers. La vérité, c'est que, pris de court et saisi de panique, M. Van Meegeren ne fut pas en mesure d'improviser au pied levé une version nouvelle, et plus crédible, des faits. Il se mit à fixer le plafond d'un regard absent, puis s'immobilisa soudain, aussi rigide qu'un animal empaillé, peut-être dans une dernière tentative pour échapper à son destin, régresser vers l'inanimé, se faire pierre et objet, à défaut de se dématérialiser tout à fait, de s'évanouir dans le néant. Mais tout fut inutile, bien entendu.

Le Christ et la Femme adultère avait été vendu au maréchal du Reich Hermann Goering, en dépit des instructions précises de Van Meegeren qui s'y opposait, bien conscient du danger qu'il y avait à entretenir des relations commerciales avec les occupants nazis. Toute peinture retrouvée, après la guerre, entre des mains ennemies devait être soumise à une enquête minutieuse, afin d'en déterminer la provenance et le vendeur. Il avait donc recommandé à Rienstra Van Strijvesande, l'agent auquel il avait malencontreusement confié le tableau, de s'assurer que ce dernier ne tomberait pas entre les mains des Allemands. Or, Van Strijvesande avait justement des relations d'affaires étroites avec Aloïs Miedl, un riche banquier bavarois qui venait d'ouvrir une succursale à Amsterdam. Lorsque Van Strijvesande lui avait parlé d'un Vermeer découvert depuis peu, Miedl s'était empressé d'en informer Walter Hofer, le responsable de la collection privée de Hermann Goering, la machine infernale s'était mise en route, et Van Meegeren – qui ignorait tout cela – n'avait rien pu faire pour l'arrêter.

Après la guerre, les membres de l'Allied Art Commission, chargés de retrouver les trésors cachés des dignitaires nazis, avaient mis au jour l'imposante collection que Goering avait fait enterrer dans les mines de sel d'Alt-Aussee, en Autriche. Ils avaient aussitôt reconnu une toile signée Vermeer (sous la forme typique I. V. Meer) en haut à gauche du tableau. La peinture avait éveillé en eux le souvenir du *Christ à Emmaüs*, le chef-d'œuvre de Vermeer dont la découverte imprévue, en 1937, avait fait beaucoup de bruit dans le monde entier. Par ailleurs, le tableau d'Alt-Aussee s'avérait inconnu, lui aussi. Ce fait n'aurait pas eu une grande importance s'il se fût agi de l'œuvre d'un artiste prolifique, comme le Tintoret ou Rembrandt. Mais les tableaux de Vermeer étaient si peu nombreux qu'ils étaient tous archiconnus : les membres de l'Art Commission venaient d'en retrouver un, tout aussi célèbre, à Berchtesgaden – l'*Art de la peinture*, soustrait par Adolf Hitler au Kunsthistorisches Museum de Vienne.

La découverte, donc, était tout de suite apparue comme étant d'une grande importance. Lorsque l'on avait produit les reçus concernant la transaction, on s'était rendu compte que, pour ce Vermeer inconnu, Goering avait déboursé la somme, presque invraisemblable, de 1 650 000 florins : cinquante mille de plus que n'en avait versé le célèbre armateur néerlandais Daniel George Van Beuningen pour *La Cène*, autre tableau surgi du néant et lui aussi attribué à Vermeer, mais de dimensions plus importantes, et beaucoup plus beau. En réalité, Goering avait pu payer cette somme en cédant à Miedl plus de deux cents peintures illégalement soustraites, aux Pays-Bas, par des agents nazis. De toute façon, l'Allied Art Commission avait aussitôt entamé des investigations au sujet de la provenance du tableau, non parce que l'on doutait qu'il fût de Vermeer (chose qui n'avait jamais été contestée, sinon l'enquête n'aurait même pas commencé), mais pour savoir qui avait traîtreusement cédé cette œuvre à un dignitaire nazi, et pour décider de son destin. Pour les experts de l'Art Commission, il n'avait pas été difficile de remonter les traces laissées par ce tableau tout au long du parcours qui avait conduit à sa vente : elles avaient d'abord mené à Hofer, puis à Miedl, puis (bien que Miedl eût disparu et fût vainement recherché) à Van Strijvesande, et à partir de ceux-là, enfin, au riche antiquaire – et peintre raté – Han Van Meegeren.

C'est ainsi que, le 29 mai 1945, M. Van Meegeren fut arrêté sous l'accusation, infamante, de collaboration avec l'ennemi nazi. Dans un premier temps, pour des motifs restés obscurs, il choisit de se retrancher derrière un mutisme hargneux, tout aussi obstiné qu'irrationnel. Il se montrait même disposé à moisir en prison pendant six semaines, accusé de haute trahison et privé des doses quotidiennes de morphine qui, désormais, lui étaient nécessaires pour supporter la réalité. Alors qu'au contraire, s'il avait raconté sa version des faits – dont nous parlerons amplement par la suite –, il aurait probablement été acclamé comme un héros.

Le 12 juillet, cependant, M. Van Meegeren craqua brutalement et avoua, sans prévoir en aucune façon que cette incroyable révélation ferait de lui un personnage célèbre. Mais lorsque, durant cet interrogatoire mémorable, Han Van Meegeren affirma n'avoir vendu aucun trésor national à l'ennemi, mais avoir peint pour lui-même, personnellement, ce précieux Vermeer, les officiers de police ne lui accordèrent aucun crédit. Sur le moment, ils parurent même stupéfaits et déconcertés. Puis ils lui demandèrent de plus amples explications, et de répéter ce qu'il venait de dire. M. Van Meegeren soupira et répéta, avec obstination, que *Le Christ et la Femme adultère*, acheté à son insu par le dignitaire nazi Hermann Goering, n'était absolument pas un Vermeer, mais un faux réalisé par lui. Han Van Meegeren, alias VM : la réincarnation moderne de Vermeer.

II

Han Van Meegeren, que nous appellerons désormais VM, naquit le 10 octobre 1889 à Deventer, la petite ville hollandaise où était mort le grand peintre du XVIIe siècle Gerard Terborch. Son père, Henricus Van Meegeren, un instituteur, était un homme ordinaire, sévère et totalement dépourvu d'imagination. Il avait obtenu son diplôme d'anglais et de mathématiques à l'université de Delft et avait écrit plusieurs manuels scolaires. Il s'était marié à quarante ans. Sa femme, Augusta, lui avait donné cinq enfants. VM, c'est-à-dire Han, était le troisième (le deuxième garçon) et grandit dans une atmosphère de discipline inflexible : il n'avait même pas le droit d'adresser la parole à son père, sauf si le terrible Henricus le lui ordonnait explicitement.

Il est très probable que VM avait hérité ses élans créateurs de sa mère, une femme délicate et sensible, de quinze ans plus jeune que son mari et qui avait manifesté quelques prédispositions artistiques, jusqu'à ce que son mariage mît brusquement fin à ces velléités fumeuses. VM était un enfant très délicat, fragile physiquement : au grand désespoir de Henricus, il manifesta une passion pour le dessin dès l'âge de huit ans. De plus en plus consterné de découvrir les stigmates des tendances maternelles, artistiques et abhorrées, chez un autre membre de la famille, Henricus Van Meegeren prit l'habitude de déchirer en mille morceaux les dessins de son fils. En outre, il interdit catégoriquement à sa femme d'encourager les intérêts malsains de l'enfant. Mais le résultat de cette interdiction fut que VM finit par passer tout son temps libre à dessiner les sujets issus de son imagination inépuisable – tout en essayant d'échapper, évidemment, à la surveillance vigilante de son père.

Par chance pour lui, cette figure paternelle haïe fut vite remplacée par celle de Bartus Korteling, un de ses professeurs au lycée. Peintre de réputation médiocre, mais artiste sérieux et à la formation solide, il reconnut immédiatement le talent de l'élève et lui permit d'acquérir un bon bagage de connaissances techniques. Le fils de Korteling, Wim, devint en peu de temps le meilleur ami de VM qui devint lui-même – peut-être encore plus rapidement – l'élève préféré de Korteling. Après quelques mois de travail sous la tutelle de son mentor, VM remportait déjà tous les concours scolaires qui se déroulaient à Deventer et dans les environs.

Mais pour Henricus Van Meegeren, comme il fallait s'y attendre, les prix n'y changeaient rien ; il semblait fort mécontent du pli insensé que la vie de son fils était en train de prendre. Surtout, il ne comprenait pas pourquoi l'art devait être enseigné à l'école, et il pensait que le talent artistique n'était d'aucune utilité dans la vie – ou, en tout cas, qu'il ne servait absolument pas à exercer une profession respectable. Et puis il trouvait que ces inclinations perverses favorisaient les instincts rebelles des jeunes, contribuant à rendre leur caractère encore plus instable. Cette opposition radicale aux inexplicables tendances de son fils continua, cependant, à produire des résultats contraires à ce qu'il recherchait. Henricus Van Meegeren fut contraint de constater, avec horreur, l'évolution délétère de la personnalité de VM, sous l'influence pernicieuse du sournois Korteling. En l'espace de quelques mois, aux yeux de Henricus, VM devint un adolescent indiscipliné et incapable, un rêveur impénitent possédé par une incompréhensible passion pour le dessin. La seule pensée que son fils puisse devenir un artiste était si dégradante qu'en réalité, elle n'effleurait même pas l'esprit peu imaginatif du rationnel Henricus. Malgré cela, il continua, imperturbablement, à détruire tous les dessins de ce rejeton dénaturé, lorsqu'ils lui tombaient entre les mains. Mieux vaut prévenir que guérir.

De son côté, VM laissait son père donner libre cours à ses colères froides, sans jamais envisager de réaction. Il avait déjà compris que lui et Henricus Van Meegeren avaient des caractères incompatibles. De plus, comme il était resté un jeune homme très faible et de petite taille, il commençait à comprendre – sous la conduite de l'éclairé Bartus Korteling – que la première démarche importante dans la vie d'un véritable artiste consiste à fortifier son esprit ; et donc à le rendre indépendant, résistant aux assauts du monde et libre des contraintes matérielles. La conséquence d'une telle approche philosophique fut évidente : VM devint un lecteur omnivore et passionné. Son imagination fertile commença à se nourrir de livres, et son monde étroit et désuet se peupla de personnages romanesques. C'était aussi parce que Henricus Van Meegeren, comme on pouvait s'y attendre, détestait la littérature : il trouvait que c'était une perte de temps, une aberration, absurde et infantile. Entre-temps, Bartus Korteling achevait la formation de son élève en lui inculquant, avec une énergie inlassable, les principes immortels de l'art. Et, pour un traditionaliste de son calibre, cela signifiait lui apprendre à détester de manière viscérale les "modernes", c'est-à-dire les impressionnistes et les post-impressionnistes, et à admirer et imiter les plus grands créateurs de tous les temps : les grands maîtres du XVIIe siècle hollandais.

A dix-huit ans révolus, VM partit à Delft afin de suivre des études d'architecture à l'Institut technique. Ce choix résultait d'un compromis, aboutissement d'interminables disputes avec Henricus Van Meegeren : tendances artistiques ou pas, VM devait se préparer à exercer un métier honorable. S'il ne voulait vraiment pas devenir instituteur comme son père, s'il voulait cultiver à tout prix cette futile manie du dessin, il ne restait qu'une solution : devenir architecte. Il s'agissait d'un modeste repli dont Henricus Van Meegeren n'était absolument pas satisfait, mais c'était toujours mieux que rien. Les jeunes devaient être tenus en bride, pour que la fragilité de leur caractère débauché ne suscitât pas des désastres en tout genre. Si l'on n'intervenait pas avec une extrême dureté, les jeunes étaient capables d'anéantir en quelques instants les solides projets que leurs parents avaient laborieusement échafaudés à leur intention. Henricus Van Meegeren, par exemple, avait dû raccompagner au séminaire, à coups de pied au derrière, son second fils, Herman, qui avait eu l'audace de s'enfuir de l'école avant la fin de ses études pour devenir prêtre, et s'était présenté à lui en l'implorant de le retirer du séminaire car il s'était rendu compte qu'il avait perdu – ou plutôt qu'il n'avait jamais eu – la vocation. Une histoire de fous. Heureusement, le petit VM, lui, semblait s'être résigné au destin que son père lui avait tracé.

Inutile de dire que les choses avançaient dans une direction diamétralement opposée à celle qui correspondait aux désirs et aux diktats de Henricus Van Meegeren. VM ne songeait pas le moins du monde à sacrifier son existence pour une profession qu'il n'aimait pas, et qui ne lui convenait pas. Il consacrait donc de moins en moins de temps à l'architecture, passait ses journées à peindre et à étudier l'art et, dès qu'il avait un moment de libre, il courait s'abreuver aux préceptes inspirés de Barus Korteling. Désormais, ses intérêts se concentraient sur les aspects techniques de la peinture et, dans ce domaine, l'expérience de Korteling était indiscutable. De plus en plus fasciné, VM le regardait travailler les matériaux bruts et préparer de ses mains les pigments qui lui servaient à obtenir les couleurs, comme l'avaient fait les grands maîtres de l'âge d'or, et comme ne le faisaient plus les barbouilleurs misérables et ignorants de son époque.

Un soir d'été 1911, à l'âge de vingt-deux ans, VM rencontra une jolie étudiante en art, à l'occasion d'une fête au club de canotage. Elle s'appelait Anna De Voogt et était une sang-mêlé. Sa mère était native de l'île de Sumatra et de religion musulmane, son père un officier gouvernemental, en service dans les Indes hollandaises. Un prince de l'île, capricieux, s'était opposé au mariage des parents d'Anna, déterminé à faire de la mère de celle-ci l'épouse de son fils. Cette union controversée avait tout de même duré cinq ans, mais le prince n'avait pas lâché prise ; il avait fini par obtenir gain de cause. Après le divorce, le père d'Anna s'était installé à Java. La mère avait épousé le petit prince et avait disparu sans laisser de traces. Anna était partie pour les Pays-Bas avec sa grand-mère (la mère de son père) et, depuis, elle habitait avec elle dans une maison aux environs de Rijswijk.

A l'époque des faits, VM était le type même du jeune homme sans expérience, timide et introverti : il semblait réfractaire aussi bien aux amours romantiques qu'aux étreintes érotiques. Mais la passion ne se contenta pas d'éclater ; quelques mois après le début de cette liaison brûlante, Anna était déjà enceinte. Son père, qui travaillait toujours à Java, mais reparaissait aux Pays-Bas comme un fantôme, à intervalles réguliers, se mit dans une colère noire en apprenant l'étourderie de sa fille. Toutefois, sa colère fut de courte durée et, bien vite, il se résigna à l'idée qu'elle convolerait en justes noces avec son impossible fiancé, un individu de toute évidence débauché et aboulique, un fainéant sans le sou et bon à rien. Il lui imposa cependant de se convertir à la religion catholique. Anna accepta volontiers, d'autant qu'elle ne voyait pas l'utilité de se professer musulmane, dans un faubourg tranquille de La Haye. VM, quant à lui, avait été contraint par son père d'aller à la messe, pendant quinze années consécutives : il ne croyait plus en aucune religion, mais, avec sagesse, il jugea opportun de n'en rien dire à M. De Voogt.

Le mariage fut célébré à la fin du printemps 1912. Comme VM n'avait pas un sou, les deux tourtereaux s'installèrent dans la maison de la grand-mère de l'épouse indonésienne. Afin de poursuivre ses études d'architecture à Delft, VM parcourait chaque jour des dizaines de kilomètres sur les chemins boueux de la campagne néerlandaise. Mais il ne se contentait pas de faire la navette entre Rijswijk et Delft, il faisait souvent, et volontiers, un détour à Amsterdam. Il projetait de participer au concours national étudiant pour la meilleure peinture de l'année, et avait choisi un sujet ambitieux : l'intérieur de la cathédrale Saint-Laurent.

Entre-temps, toutefois, il fut amené à passer les examens de fin d'études à l'Institut technique, et fut recalé sans appel. Exaspéré et furibond, Henricus Van Meegeren accepta de lui prêter l'argent nécessaire pour fréquenter l'Institut encore un an, mais à des conditions dignes de l'usurier le plus endurci : VM rendrait l'argent à son père en tenant compte des intérêts accumulés et en déduisant les sommes, par mensualités, de l'argent qu'il gagnerait les dix années suivantes. Pour gagner du temps, VM accepta ces conditions usuraires. Il avait appris que son père était furieux parce que son frère Herman, afin de lui jouer un mauvais tour, pour gagner la partie, pour ne pas prononcer ses vœux et ne pas se faire ordonner prêtre, avait eu le mauvais goût de tomber malade, et de mourir.

La nouvelle du décès prématuré de Herman le tourmenta durablement, mais VM ne tarda pas à s'apercevoir que son existence aussi était en train de glisser vers l'abîme. Sa jeune épouse venait d'accoucher d'un garçon (Jacques), ses examens s'étaient soldés par un échec peu glorieux, et il avait contracté d'énormes dettes auprès de son père. Un désastre total le menaçait. Mais alors que tout semblait perdu, le tableau auquel il avait consacré tous ses efforts, jour et nuit, durant des mois – *La Cathédrale Saint-Laurent*, un travail qui semblait directement sorti d'un atelier du XVIIe siècle –, impressionna très favorablement les membres du jury, fervents gardiens du style hollandais traditionnel. A la surprise générale, VM remporta la médaille convoitée. Un succès qui provoqua beaucoup de remous, car il était le seul étudiant non inscrit dans une école d'art à avoir participé au concours. Grâce au prestige dont jouissait ce prix, VM réussit à vendre *La Cathédrale Saint-Laurent* mille florins – un prix relativement élevé en 1913, pour un jeune peintre inconnu.

Les mois suivants, VM fit une agréable découverte : il s'aperçut que ses peintures étaient très demandées et qu'il arrivait à atteindre des cotations de plus en plus hautes. Il était même considéré comme le nouvel espoir de l'art néerlandais. Ragaillardi, rassuré, convaincu de son talent, sinon de son génie, il décida d'abandonner définitivement la carrière d'architecte – qu'il n'avait, d'ailleurs, jamais embrassée. Faisant sortir son père de ses gonds, il refusa même de se représenter aux examens de l'Institut technique. Par contre, il se présenta en candidat libre aux sessions de l'académie des beaux-arts de La Haye et le 4 août 1914 – le jour où l'Angleterre déclara la guerre à l'Allemagne –, il obtint son diplôme avec une seule note insuffisante, en technique du portrait. On lui offrit tout de suite une chaire à l'académie : la proposition le flatta et il fut tenté d'accepter, surtout parce que cet excellent poste assurerait sa sécurité matérielle. Cependant, un tel emploi ne lui aurait guère laissé le temps de se consacrer à la création. Il refusa donc, même si ce fut à contrecœur. Mais il n'avait que vingt-cinq ans et voyait s'ouvrir devant lui ce qui lui apparaissait, naïvement, comme un avenir des plus radieux.

III

A la fin de l'année 1914, l'assistant du Pr Gips de Delft fut appelé sous les drapeaux, et Gips invita le jeune VM à le remplacer. Cette fois, VM accepta, même si c'était temporairement : cette charge était beaucoup moins contraignante que celle qu'il avait refusée à l'académie ; en outre, la perspective de s'installer à Delft, patrie du grand Vermeer, le tentait. Et donc, après avoir passé l'été dans la station balnéaire de Scheveningen, il persuada sa femme – qui venait d'accoucher d'une petite fille, Inès – de louer un appartement à Delft. L'inconvénient, c'était que son salaire d'assistant s'avéra extrêmement bas, et les tableaux qu'il réussit à vendre ne rapportèrent que des sommes modestes, jusqu'à trente fois inférieures à celle qu'il avait tirée de *La Cathédrale Saint-Laurent.* La vie à Delft était très chère, les factures à payer se multipliaient, et VM n'avait pas un florin en poche. Il en arriva à mettre au mont-de-piété la médaille d'or remportée au concours national.

Ce fut alors qu'il se mit secrètement au travail, sur une copie de *La Cathédrale Saint-Laurent.* Lorsque Anna s'en aperçut et qu'elle lui demanda ce qu'il était en train de manigancer, VM affirma innocemment que si l'original lui avait rapporté mille florins, il ne voyait pas pourquoi la copie devrait lui rapporter moins. Il voulait donc la faire passer pour l'original, et la vendre à un collectionneur étranger qui s'apprêtait à quitter Delft et auquel il avait dit, avec une désinvolture olympienne, avoir vendu autrefois une copie du tableau, dont il avait conservé l'original. Il se justifia en soutenant qu'il ne trompait personne, et que cette peinture serait à la hauteur des attentes de l'acquéreur ; d'ailleurs, ce dernier ne saurait jamais qu'il avait acheté une copie. Le plaisir esthétique que l'acheteur tirerait de la possession de ce tableau était le seul critère d'évaluation objective, dans toute cette affaire. Si le client était satisfait, la véritable histoire du tableau ne pouvait qu'apparaître totalement insignifiante.

Malheureusement pour VM, Anna l'obligea à dire la vérité à l'acheteur, de sorte que la vente de la copie lui rapporta la somme, dérisoire, de quarante florins. Quoi qu'il en soit, quelques mois plus tard, VM réussit à exposer pour la première fois ses travaux, dans une galerie de La Haye : à la suite de cela, un certain Van der Wilk, marchand de tableaux, lui offrit un salaire de soixante florins pour produire quatre peintures par mois, s'engageant également à supporter les frais d'achat des toiles et des couleurs. L'accord fut prolongé jusqu'en 1916, quand VM réussit à organiser sa première exposition personnelle à Delft grâce à l'initiative de sa femme, qui persuada parents et amis de financer l'exposition et d'accourir en masse à l'inauguration. Les travaux exposés comprenaient des aquarelles, des peintures à l'huile, des dessins au crayon, à l'encre et au fusain. Les sujets étaient disparates : son enfant endormi, sa femme dans le boudoir, églises et cathédrales, paysages champêtres, baigneuses sur une plage. Un talent éclectique, trop peut-être. Pourtant, les critiques furent positives et tous les tableaux furent vendus – essentiellement à des membres de la famille, mais pas seulement.

Ce fut le début d'une brillante carrière, car ce succès local insuffla à VM la conviction et l'énergie nécessaires pour s'installer à La Haye. En l'espace de quelques années, grâce à sa maîtrise technique et à sa facilité, il devint un peintre à succès, dans les cercles de la bonne bourgeoisie. Sa situation financière s'améliora considérablement, y compris grâce aux cours particuliers fort bien payés que, grâce à sa réputation montante, il commença à donner à un groupe de jeunes dilettantes et d'amateurs d'art, en grande partie composé de ravissantes jeunes filles. Ce fut durant ces leçons que VM réalisa l'œuvre originale destinée à rendre célèbre toute sa production. Mieux : *Le Cerf* devait devenir le dessin le plus reproduit dans tous les Pays-Bas – une popularité immense, mais largement due au fait que le cerf en question appartenait à la princesse Juliana.

VM avait conclu des accords pour faire transporter le cerf dans son atelier du Palais royal une fois par semaine, afin qu'il servît de modèle aux esquisses de ses élèves. Un jour, l'un d'entre eux lui demanda s'il se sentait capable de dessiner l'animal en dix minutes. VM releva le défi, mais, pour achever ce travail, il ne lui en fallut que neuf. Ce dessin foudroyant lui plut à un point tel qu'il lui sembla être un sujet idéal pour une carte de Noël ou un calendrier. Mais l'imprimeur auquel il montra le dessin ne manifesta aucun enthousiasme à cette idée ; il lui dit même qu'il trouvait l'animal franchement laid. Toutefois, il changea immédiatement d'avis dès que VM lui apprit que c'était le cerf de la princesse Juliana. Quand le scepticisme de l'imprimeur se transforma comme par magie en enthousiasme, les considérations amères que VM commençait à ruminer, concernant la relativité absolue des critères esthétiques, trouvèrent une confirmation décisive.

Entre-temps, l'exposition personnelle de VM à Delft, diligemment organisée par sa femme Anna, et à l'origine du démarrage définitif de sa carrière, avait donné un autre résultat d'importance notable. Ce jour-là, en effet, tout de suite après l'exposition, l'influent critique d'art Carel De Boer s'était rendu chez les Van Meegeren en compagnie de son épouse Johanna Oerlemans, une actrice célèbre et raffinée. De Boer n'avait pas caché son estime pour le jeune peintre, il s'était dit très impressionné par son travail et lui avait demandé s'il pouvait l'interviewer pour une revue d'art. VM avait accordé l'interview, mais ce qui l'avait surtout frappé, c'était la beauté glacée et sophistiquée de la femme de De Boer. Il avait exprimé le désir que l'aristocratique Jo posât pour un portrait – opération qui avait demandé un temps incroyablement long. Puis était sortie l'interview de De Boer, accompagnée d'un long article très élogieux, et VM avait montré qu'il avait apprécié les éloges dithyrambiques du critique, en entamant une liaison clandestine avec la femme de celui-ci.

Entre 1917 et 1929, Jo Oerlemans ne fut pas la seule maîtresse de VM, même si sa liaison avec la femme du critique De Boer resta la seule relation stable de toute sa vie, bien plus solide qu'avec Anna, sa compagne légitime, la mère de ses deux enfants. Par ailleurs, VM avait déjà commencé à détester les critiques, et donc, pour lui, il ne pouvait y avoir de satisfaction plus grande que d'en séduire les épouses. Aux nombreuses fêtes conviviales et aux réunions de la Ridderzaal, entre artistes et écrivains, auxquelles il était invité de plus en plus souvent en qualité de membre du Kunstring de La Haye, VM ne se montrait presque jamais en compagnie d'Anna, mais de Jo Oerlemans, ou d'une de ses modèles, ou même d'une élève. En peu de temps, il se fit une réputation de dandy et de don Juan : mais plus son mariage battait de l'aile, plus il semblait satisfait. Désormais, il considérait la famille comme le symbole le plus ennuyeux de la misérable respectabilité petite-bourgeoise. Ses liaisons proliféraient, et on pouvait en dire autant de ses œuvres. Sa deuxième exposition personnelle, en 1921, fut un triomphe, et toutes ses peintures, une fois encore, furent vendues. Le style était toujours traditionnel, mais cette fois les sujets des tableaux étaient extrêmement simples parce que VM, athée mais sujet à des élans mystiques, les avait tirés, sans exception, de la Bible.

Ces succès, fêtés par une foule d'élèves en adoration, convainquirent VM que le style XVIIe siècle, auquel il s'était formé sous la direction de Korteling et qu'il avait perfectionné dans l'atmosphère provinciale de Delft, constituait sa carte maîtresse. Autour de lui, le monde de l'art était en pleine fermentation, et chaque jour naissaient des mouvements plus ou moins révolutionnaires. Mais VM réagissait aux nouveautés et aux modes en accentuant son isolement méprisant, en soulignant l'importance primordiale de la tradition et en dénonçant l'incapacité et l'improvisation absolue des soi-disant révolutionnaires. Ses proclamations véhémentes furent moyennement appréciées des critiques d'art que VM, du reste – avec bien peu de prévoyance et encore moins de diplomatie –, accusait d'être des individus vénaux et ignorants, capables de publier une critique favorable seulement s'ils étaient payés. Chose que lui-même s'était toujours refusé à faire, s'attirant ainsi la haine mortelle de toute la profession.

Puis brusquement – vers 1923, année de l'inévitable divorce d'avec Anna De Voogt –, quelque chose, dans la carrière de VM, commença à se gâter. Peu à peu, alors que ses dissensions avec l'establishment de l'art s'accentuaient et que son caractère, déjà rude et peu conciliant, s'aigrissait, VM commença à boire, à consommer des drogues et à mener une vie de plus en plus excentrique et extravagante. En ville, tout le monde savait qu'il changeait de maîtresse chaque soir (danseuses, modèles, peintres en herbe), qu'il avait un train de vie plutôt dispendieux et que, par conséquent, il avait toujours besoin d'argent. L'appât du gain le poussa à se consacrer presque exclusivement à la recherche de commandes lucratives pour des travaux de nature commerciale, comme les cartes postales et les affiches publicitaires. En l'espace de quelques mois, il entra dans une spirale perverse, car plus les critiques le persécutaient et lui lançaient des flèches empoisonnées, plus il s'entêtait à brader ses dessins aux imprimeurs qui produisaient des calendriers d'un goût médiocre. Cependant, cette attitude de défi eut pour résultat de ternir dangereusement le prestige qui lui restait, déjà plutôt compromis, et même ses élèves les plus fidèles se mirent à douter de la qualité de son inspiration.

Effrayé à l'idée de perdre sa clientèle, VM décida de se consacrer essentiellement au portrait et, en peu de temps, il s'affirma comme l'un des meilleurs artistes du genre, dans son pays. Ses portraits étaient très soignés et précis, subtils et pénétrants, véritables épitomés du personnage – même si c'étaient des versions légèrement édulcorées et retouchées du sujet. La technique, comme toujours, était impeccable. Le style, celui de la grande manière d'un Rembrandt ou d'un Hals – parfois, plus modestement, d'un Laermans ou d'un Smits, portraitistes superficiels, très à la mode en Belgique et aux Pays-Bas. Peut-être ce travail le distrayait-il de ses véritables objectifs et de la réalisation de créations plus importantes, peut-être contribuait-il à gaspiller son talent ; certes, il ne représentait pas une manifestation superlative de son génie. Mais il rapportait beaucoup, ne lui coûtait pas trop d'efforts et était des plus utiles pour restaurer son image publique. En effet, au bout d'un an, VM avait de nouveau le vent en poupe. Le secret de sa renaissance artistique, tout au moins dans les rangs de la grande bourgeoisie, était très simple (c'est celui de tous les peintres qui ont du succès) : VM savait comment satisfaire les désirs des commanditaires. Au fond, que voulaient les industriels et les hommes d'affaires ? Ils voulaient seulement que les portraits de leurs épouses et de leurs filles soient apparemment fidèles, ressemblants mais flatteurs, dignes d'être suspendus à la place d'honneur, près de la cheminée du salon.

IV

Au cours de cette même période, VM se lia étroitement d'amitié avec le peintre Theo Van Wijngaarden et le journaliste Jan Ubink, deux hommes qui partageaient sa vie dissolue, méprisaient les modes du moment, condamnaient la superficialité de la littérature et de l'art contemporains et exaltaient l'éclatante grandeur du passé. Ce qui consolidait la relation entre les trois hommes, c'étaient les points communs évidents entre leurs biographies respectives. De même que VM – en grande partie à cause du rejet des critiques – avait quasiment renoncé à être un artiste créatif, ainsi Ubink s'était lancé dans le journalisme populaire, après de cuisants échecs dans le domaine de la poésie et de l'écriture romanesque. De temps à autre, il produisait un recueil de sonnets, mais son travail quotidien dans les bureaux d'un journal de La Haye, avec le temps, avait fini par tarir complètement sa veine poétique – si tant est qu'autrefois, il ait été béni des Muses.

Van Wijngaarden, lui aussi partisan convaincu de la tradition, admirateur des anciens maîtres et peintre partiellement raté, s'était affirmé dans le rôle de restaurateur et de marchand d'œuvres d'art. C'était un repli acceptable, qui ne faisait pas de lui un individu profondément démoralisé, comme Ubink ; mais ses activités l'occupaient à un point tel qu'il avait presque renoncé à peindre, et donc à pratiquer ce qu'il avait toujours considéré comme son véritable métier. De temps à autre, cependant, il se délectait à produire un faux. Entre 1925 et 1926, il réalisa deux Vermeer, *La Dentellière* (homonyme, mais très différente de celle actuellement exposée au Louvre) et *Le Soldat et la Jeune Fille souriant* : deux œuvres qui, en se fondant sur l'avis de l'illustre critique Abraham Bredius, devaient être achetées, par l'intermédiaire des bureaux de l'antiquaire Duveen, par le richissime collectionneur américain Andrew Mellon, président et conseiller financier de cent soixante sociétés. Un homme si réservé et si hostile à toute forme de publicité que, en 1921, lorsque son nom avait été proposé au président Harding pour la charge de ministre du Trésor, le président avait rétorqué : "Mais qui est ce type ? Je n'en ai jamais entendu parler." Quoi qu'il en soit, le méfiant Mellon ne saurait jamais qu'il avait été roulé, car les deux Vermeer réalisés par Van Wijngaarden, donnés par le milliardaire à la National Gallery de Washington, ne seraient considérés comme des faux qu'à partir de 1970.

Unis dans la conviction que l'échec artistique qui les avait frappés était dû à l'ignorance universelle, VM, Ubink et Van Wijngaarden s'associèrent en 1926 pour éditer une revue mensuelle destinée à propager leurs idéaux et à démolir leurs détracteurs. *De Kemphaan (Le Coq de combat)* fut fidèle à son nom et se distingua par ses attaques virulentes, visant tous les peintres d'une certaine importance qui avaient eu l'audace de s'affirmer depuis l'époque de Delacroix. Chaque numéro contenait des articles dus exclusivement aux trois plumes empoisonnées des rédacteurs, même si – pour jeter de la poudre aux yeux et accréditer l'idée qu'ils étaient soutenus par un véritable mouvement d'opinion – ils signaient en utilisant plusieurs pseudonymes. Mais le public ne semblait guère apprécier cette nouvelle revue. Les accusations réitérées de vénalité adressées aux critiques honnis n'attiraient pas les sympathies de l'establishment artistique. VM, en particulier, se vantait toujours de n'avoir jamais payé pour obtenir un article, et c'était peut-être pour cela, insinuait-il, que les rares fois que les critiques avaient parlé de son travail, c'était seulement pour le ridiculiser et le démolir sans pitié. Son art avait été qualifié de sentimental, pseudo-romantique, banal, rebattu, obsolète, de mauvais goût et même frôlant la pornographie. Ainsi, de polémique en procès, la revue ne dépassa pas les douze numéros. Elle n'était diffusée qu'à La Haye. De nombreux exemplaires demeurèrent invendus. Le bilan était nettement déficitaire et, au bout d'un an exactement, *Le Coq de combat* cessa de lutter.

Toutefois, pendant que la revue agonisait, les activités de Van Wijngaarden étaient florissantes. Il semblait doté d'un véritable sixième sens pour dénicher de vieilles toiles dans les greniers poussiéreux et les brocantes. Il les achetait pour presque rien et, après les avoir nettoyées et restaurées, les revendait pour des sommes considérables. Il avait beaucoup de contacts précieux, aussi bien aux Pays-Bas qu'à l'étranger, et se rendait souvent en Italie ou en Angleterre afin d'acheter des toiles et des objets bon marché. C'était un travail que VM trouvait fascinant, et lui aussi se mit à suivre les ventes de meubles de seconde main et à fréquenter les galeries d'art pouilleuses, dans l'espoir de conclure de bonnes affaires. Il se révéla doté d'un certain flair, et Van Wijngaarden lui proposa de devenir son associé. Compte tenu de son expérience du travail des matériaux et de la préparation des pigments, et de sa profonde connaissance des techniques utilisées par les anciens maîtres, VM s'occuperait surtout des restaurations.

Ce qu'il fit, même si, bien vite, il prit l'habitude de perfectionner et d'embellir les œuvres qui passaient par son atelier. Il était au courant de l'activité sporadique de faussaire cultivée par son ami Van Wijngaarden, et l'idée de s'y essayer lui aussi l'avait effleuré plus d'une fois. Si une peinture rappelait, mettons, un Terborch, ou pouvait être considérée comme telle par un acheteur peu féru en la matière, pourquoi ne pas lui donner un petit coup de pouce afin d'accroître cette ressemblance ? Peut-être le tableau était-il *vraiment* un Terborch ? Procéder à son nettoyage était une opération non seulement légitime et licite, mais parfois nécessaire. Quant à retoucher les couleurs, c'était une phase incontournable du travail de restauration. La signature ? Au cours des siècles, on ne comptait pratiquement plus les cas où l'on avait ajouté une signature à un tableau qui en était dépourvu. L'idée de créer un faux, comme l'avait fait Van Wijngaarden, le fascinait désormais à un point tel que, de plus en plus souvent, VM était assailli par la tentation de le peindre directement lui-même, ce tableau du XVIIe siècle, au lieu de lui refaire une beauté.

Puis, en 1928, Van Wijngaarden eut l'occasion de sa vie. Il trouva une toile en très mauvais état et d'origine inconnue – le portrait d'un cavalier – qui, d'après lui, était un authentique Frans Hals. Après l'avoir nettoyée et restaurée en lui réservant des soins exceptionnels et en utilisant des huiles et des solvants testés par VM avec d'excellents résultats, Van Wijngaarden essaya de la faire authentifier par un critique et historien d'art célèbre et influent, Hofstede De Groot. Ce dernier établit qu'il s'agissait effectivement d'une œuvre de Frans Hals et s'occupa lui-même de la vente, proposant le tableau à un particulier qui l'acheta, moyennant une somme considérable. C'était le triomphe le plus éclatant de la carrière de Van Wijngaarden ; mais ni lui ni VM n'avaient pensé au septuagénaire Abraham Bredius, considéré à l'unanimité comme le grand-prêtre et l'autorité indiscutable dans le domaine des arts hollandais. Bredius vit la toile peu de temps après la vente et dit que, contrairement à ce que pensait son illustre collègue De Groot, le présumé Hals était un faux. L'argument principal qui le poussait à formuler cette thèse était de nature technique : dans certaines zones du tableau, la peinture était trop tendre. Van Wijngaarden avait mis en garde De Groot en utilisant le même argument, déclarant que les solvants spéciaux utilisés par lui-même et par VM en cours de restauration avaient pu rendre l'ancienne peinture plus tendre, sur certains points de la toile. De Groot avait accepté cette explication, mais Bredius la repoussa comme s'il s'agissait d'une ânerie.

Suivit une âpre bataille d'opinion, avec féroces échanges d'insultes entre Bredius et Van Wijngaarden. Mais la parole de Bredius faisait loi aux Pays-Bas, et sa thèse finit par prévaloir. Van Wijngaarden fut contraint de rendre l'argent tiré de la vente et se retrouva le bec dans l'eau, avec une peinture discréditée et sans valeur. La réussite la plus éclatante de sa carrière était partie en fumée. Pendant des mois, il fut littéralement fou de rage, et VM n'était pas moins amer que lui. Leur rancune à l'égard des soi-disant experts s'accrut démesurément. Tous deux virent, dans le malheur qui les avait frappés, la confirmation la plus évidente de leur conviction : les "grands experts" comme Bredius et De Groot (l'un des deux, au fond, s'était trompé) ne comprenaient absolument rien à l'art et étaient totalement incapables d'exprimer un jugement sensé. Le plus incroyable, c'était que ces deux incompétents avaient le pouvoir immense de décider de la valeur esthétique d'une œuvre. Le destin des artistes dépendait des opinions, ô combien risibles, de ces deux hypocrites, aussi arrogants que menteurs. C'étaient les critiques, avec leurs pires complices, les galeristes, qui faisaient ou détruisaient une carrière, inventaient à partir de rien, mettaient à la mode un peintre ou enterraient implacablement le travail de cent autres artistes, tout aussi valables que leur protégé. Pour couronner le tout, ils semblaient échapper à toutes les critiques, vu que, même lorsqu'ils commettaient des erreurs grossières, leur réputation n'en souffrait jamais.

Pour se venger, au moins en partie, de Bredius, Van Wijngaarden décida de peindre un Rembrandt et de le soumettre, en cachette, au jugement de l'honorable spécialiste. Il utilisa des pigments artificiels et laissa sécher la peinture de manière naturelle. Quand Bredius examina le tableau – sur la provenance duquel Van Wijngaarden avait inventé une histoire rocambolesque mais très séduisante –, il tomba dans le panneau et, après un coup d'œil superficiel, affirma que, cette fois, il s'agissait bien d'un Rembrandt. Avec un petit sourire méphistophélique, l'historien ajouta que cette importante découverte compenserait, pour Van Wijngaarden, la déception subie après la mésaventure du faux Frans Hals. Mais quelques instants après, à sa grande stupéfaction, Van Wijngaarden se rua sur le tableau, brandissant une spatule de peintre, et lacéra la précieuse toile sous son nez.

Très vite, cette anecdote savoureuse devint célèbre dans les milieux artistiques de La Haye, mais – comme pour confirmer les thèses de VM et de Van Wijngaarden – le prestige adamantin de Bredius ne fut terni en rien. L'éminent historien soutint que, connaissant la réputation douteuse du rusé Van Wijngaarden et du paranoïaque VM, et soupçonnant un piège, il s'était réservé la possibilité de formuler un jugement plus précis une fois qu'il aurait examiné la toile avec toute la sérénité requise. Version extrêmement commode, mais que tout le monde prit pour argent comptant. Une fois que le bruit suscité par le tour joué à Bredius se fut dissipé, VM et Van Wijngaarden recommencèrent à cracher leur venin. Désormais, à leurs yeux, un seul individu incarnait toute la sottise et toute la malhonnêteté des critiques et des historiens d'art. Abraham Bredius était devenu leur bête noire, le chef de la meute hurlante de leurs ennemis mortels.

V

En 1929, Anna De Voogt partit pour Sumatra en compagnie des deux enfants – Jacques, âgé de dix-sept ans, et Inès, qui venait d'en avoir quinze. Depuis qu'elle avait divorcé de VM, en 1923, Anna s'était installée à Paris. Au début, elle avait eu du mal à assurer l'entretien des enfants. Puis, quand VM avait commencé à gagner des sommes confortables en faisant le portrait des épouses d'industriels, elle avait reçu suffisamment d'argent pour pourvoir à leurs besoins. VM se rendait souvent, et volontiers, à Paris : il montrait une sympathie évidente pour Jacques, un jeune homme au talent artistique prononcé, mais timide et peu sûr de lui, comme il l'avait été lui-même, adolescent. Il aimait aussi fréquenter les cafés de Montmartre et de Saint-Germain en compagnie d'Inès, une adolescente splendide et vive, aux longs cheveux noirs. Lorsque Anna l'avait informé de son intention de rejoindre sa mère à Sumatra, VM avait craint de ne plus revoir ses enfants, et s'était farouchement opposé au projet de son ex-femme. A la fin, pourtant, quand Anna lui avait dit qu'il s'agissait d'une installation temporaire et qu'elle comptait rentrer aux Pays-Bas dans deux ans, VM lui avait remis un chèque du même montant que ceux versés les douze derniers mois, et s'était résigné à écrire à Jacques et à Inès, à Sumatra.

Tout de suite après le départ de son ex-femme, VM se décida à épouser sa maîtresse Johanna Oerlemans, dite Jo, qui avait divorcé du critique De Boer quelques années plus tôt. Le choix imprévu de son fils fut une énorme déception pour le vieux et bilieux Henricus Van Meegeren, lequel, en catholique dévot qu'il était, refusa de bénir la nouvelle union de VM, le renia et lui enjoignit de ne plus se montrer. A vrai dire, durant les treize longues années de sa relation épisodique avec Jo, VM était toujours apparu réticent à l'idée de franchir le pas décisif. Désormais habitué à une existence de célibataire endurci, libre de toute entrave, il s'était juré à lui-même de ne plus jamais s'enliser dans une relation stable. Toutefois, arrivé à l'âge crucial de quarante ans, il s'aperçut que le gouffre d'une maturité aigrie et solitaire s'ouvrait devant lui. Il se sentit fatigué et usé, et se rendit compte, brusquement, qu'il avait besoin de stabilité et d'équilibre. Mais il ne pouvait espérer les trouver que dans un nouveau mariage, et naturellement – s'il devait vraiment se reposer – il n'y avait pas de meilleure candidate que Jo, une femme ambitieuse, cultivée et fascinante ; de plus, elle avait eu le mérite de l'attendre, de toujours croire en son talent et de lui conserver son affection et son estime, malgré les trahisons et les infidélités de VM, et ses continuelles amourettes avec des filles beaucoup plus jeunes que lui (et qu'elle).

Jo était d'une beauté insolite, oblique et presque ténébreuse. Elle dégageait un charme insaisissable, magnétique. Grande, très maigre, elle avait un visage fin et élégant, d'un ovale exquis, mais d'une pâleur macabre. Elle s'habillait magnifiquement, toujours de noir, et ne portait ni colliers ni bagues : rien qu'un petit ruban de velours autour du cou. Elle avait un nez important, que VM interprétait comme le signe d'une grande intelligence. Des cheveux très longs, lisses, aile de corbeau. Des mains délicates et nerveuses, aux ongles laqués de noir. Des yeux d'un vert qui confinait au gris. Une bouche charnue, toujours brillante de rouge à lèvres. Elle arborait souvent un sourire sceptique, précaire. Quant à son regard, VM l'avait toujours trouvé inoubliable : comme perdu dans le vide, traversé par une folie lucide.

En réalité, Jo s'avéra une épouse parfaite pour cet homme désorganisé et brouillon, peut-être parce qu'elle était la seule à penser qu'il était vraiment un grand peintre inspiré, au talent immortel, et que tôt ou tard il serait considéré comme un génie, et donc récompensé par la gloire et la richesse. D'autre part, les qualités de Jo étaient indéniables. En tout cas, sa présence était extrêmement agréable et décorative, et donc très utile en société et dans les réunions mondaines. Elle avait aussi une mentalité souple de femme d'affaires. Et puis elle avait les idées larges : elle affichait une tolérance surprenante face aux habitudes de son incorrigible époux qui, de temps à autre, s'offrait un rendez-vous galant avec un modèle ou une nuit de débauche avec ses compères Van Wijngaarden et Ubink. Avec une patience admirable, Jo supportait tous les caprices de son mari ; en même temps, elle le poussait à travailler avec de plus en plus d'intensité et de concentration. Ce fut elle, au début de 1932, remarquant que VM ne cessait de ruminer une sinistre rancune à l'égard du monde entier et qu'il semblait paralysé par la colère et le dégoût, qui le persuada de changer d'air, afin de retrouver le désir de créer. Cela signifiait s'en aller, quitter les Pays-Bas, en un mot : s'installer à l'étranger.

VM et Jo partirent pour l'Italie, en ce fatal été 1932, à bord d'une vétuste Mercedes couleur poussière, qui tomba en panne sur la Côte d'Azur. Le lieu du sinistre était Roquebrune, village perché sur la corniche entre Menton et Monaco. La conséquence immédiate de ce fâcheux incident fut que VM et Jo durent s'arrêter dans le village, pour la nuit, dans un hôtel décrépit mais plein de charme, avec vue panoramique sur la mer. Dans le hall vivait le concierge, en solitaire : un vieux monsieur en gilet de chamois et chemise à fines rayures, dont les manches enroulées étaient fixées par de curieux élastiques jaunes. Il montra à VM et à Jo la chambre dix-huit, une mansarde romantique, discrète, spacieuse, avec des poutres apparentes au plafond, des meubles rustiques et du papier peint rose pêche, très reposant. Avant d'aller se coucher, VM bavarda quelques instants avec cet homme âgé et loquace : il apprit ainsi, par hasard, qu'au-dessus du village, dans le domaine du Hameau, on louait une élégante villa meublée.

Le lendemain matin, VM et Jo se présentèrent au syndic, le cérémonieux et avisé M. de Augustinis. Il n'y eut pas besoin de longues discussions : VM décida de louer la villa sans marchander sur le prix. C'était une décision qui pouvait sembler totalement improvisée et, en effet, M. de Augustinis l'interpréta comme telle ; mais désormais, nous devrions avoir compris que VM était un homme imprévisible, irrationnel et impulsif. Il est possible, en outre, que ce jour-là, l'idée de rentrer aux Pays-Bas, de retourner vivre à La Haye (qu'il détestait) et de reprendre sa bataille stérile contre l'hostilité et l'indifférence des critiques et des galeristes, tous d'accord pour dénigrer son génie, lui apparût comme une perspective particulièrement désagréable. Ou, tout au moins, non comparable à celle de s'installer dans le Midi de la France pour y travailler. Et puis la villa Primavera était une charmante construction peinte en jaune, de deux étages, merveilleusement isolée, avec un beau jardin planté de rosiers et d'orangers, et une vue sublime sur les toits du village et sur la mer. Ainsi, lorsque l'automobile fut réparée, VM repartit pour les Pays-Bas avec Jo, déterminé à mettre de l'ordre dans ses affaires. La vieille Mercedes rendit l'âme définitivement. VM l'abandonna au bord de la route ; lui et Jo poursuivirent leur voyage en train. En octobre, ils étaient de retour à Roquebrune pour prendre possession de la villa Primavera.

La décision de s'installer en France avait été imprévue, un vrai coup de tête ; mais au fil des mois, VM jugea que cette imprudence avait été un acte de courage qui, à la longue, s'avérerait de plus en plus profitable. En effet, rester dans la patrie – comme nous l'avons souligné plus d'une fois – aurait signifié reprendre une lutte sans espoir contre les nuées de détracteurs qui jugeaient son travail banal, son inspiration faible, sa créativité médiocre. Qui le considéraient comme un névrosé raté, ambitieux mais instable, affecté de lubies et de folie des grandeurs, doté, de surcroît, d'un fort mauvais caractère. Qui lui reprochaient même de ne jamais réussir à finir ses toiles, de perdre son temps dans des expériences techniques compliquées et discutables, d'être trop attaché à ses principes artistiques de jeunesse. Qui considéraient ses doutes, son désordre mental, la vacuité de son caractère et même sa peur pathologique de l'échec comme les fruits empoisonnés de son inguérissable immaturité. C'était un éternel adolescent – c'est pour cela qu'il était si lunatique, capricieux et agressif. Certains lui reconnaissaient au contraire un sens aigu de l'humour et un grand pouvoir de séduction auprès des femmes, mais on l'expliquait davantage par sa galanterie désuète que par son aspect physique.

En effet, VM avait la même silhouette mince et délicate que lorsqu'il était adolescent. Si on le regardait superficiellement, il pouvait sembler fragile, vulnérable. Mais son regard était attentif, liquide et fuyant, parfois acéré comme une lame. Un regard timide, mais arrogant. Lorsqu'on le connaissait un peu, on se rendait compte, avec un brin de surprise, qu'il y avait quelque chose de mystérieux dans ces yeux vides et absents. Un je ne sais quoi d'ironique, une pointe de sarcasme. Une expression de profonde amertume et de supériorité morale. Quant au visage, c'était celui d'un renard, pointu, aigu. Un large menton triangulaire, les lèvres dessinant un sourire ironique sous la petite moustache clairsemée, le front haut, les cheveux fins, poivre et sel, coiffés en arrière.

A Roquebrune, VM s'efforça de mener une vie sobre et retirée, adaptée à un artiste qui n'était plus tout jeune et qui sortait d'une décennie pour le moins turbulente. Même s'il ne s'était pas encore totalement résigné à cette idée, sa carrière s'était précocement enfoncée dans un déclin inéluctable, bien que peu d'artistes néerlandais eussent connu des débuts plus brillants que les siens. Mais il était déterminé à renaître de ses cendres. Cependant, même dans le paradisiaque Midi de la France, VM fut obligé, pour assurer le quotidien, de réaliser des portraits très ennuyeux – travail qui n'avait pour lui rien de gratifiant. Mais il avait besoin de produire, de gagner de l'argent, d'autant qu'il avait de nouveau une épouse à entretenir. Une femme très attrayante et aux manières sophistiquées, qui se révélait non seulement étonnamment ambitieuse et énergique, mais dotée d'habitudes sybaritiques et de goûts dispendieux. Sans compter que VM devait toujours pourvoir aux besoins de sa première épouse, Anna, qui entre-temps était rentrée de Sumatra ; pour ne pas parler des deux enfants issus de cette union malheureuse, Jacques et Inès, que de toute façon il aimait beaucoup, même si, naturellement, ils étaient retournés vivre aux Pays-Bas avec leur mère et si VM, depuis son installation en France, ne les voyait plus que très sporadiquement. Il finit par dépenser toutes ses économies pour financer les vacances d'été des deux jeunes gens. Il se rendit compte, très vite, que, s'il continuait ainsi, il lui resterait bien peu d'argent pour acheter les matériaux indispensables au projet téméraire qui peu à peu, depuis 1932, prenait forme dans son esprit.

Par chance, il y avait, sur la Côte d'Azur, de nombreux clients potentiels pour ses portraits traditionnels, élégants, à la texture épaisse. En quelques mois, VM parvint à se faire une réputation solide et une clientèle locale fidèle : ce qui était sûr, c'est qu'il n'avait jamais aussi bien gagné sa vie, dans toute sa carrière. Il déposa même de l'argent à la banque. Les choses commencèrent à tourner favorablement : cela signifiait qu'il pourrait travailler en toute tranquillité. Il en avait vraiment besoin car, au cours des années à venir, VM réaliserait son chef-d'œuvre. Le tableau auquel il songeait depuis longtemps, plus précisément depuis qu'il avait commencé à se concentrer sur Vermeer.

Aux yeux de VM, en effet, il était désormais clair que Jan Vermeer de Delft serait sa victime désignée. Aucun autre ancien maître ne convenait mieux que lui à ses intentions, aucun autre défi ne pouvait être considéré comme aussi dangereux et excitant. Le mystérieux Vermeer était désormais universellement reconnu comme l'un des plus grands peintres de tous les temps, et les prix de ses petits tableaux avaient atteint des niveaux astronomiques. C'était un premier point. Mais il y avait aussi d'autres raisons qui poussaient VM à préférer le maître de Delft à tout autre géant de la peinture du XVIIe siècle.

Les années de jeunesse de Vermeer avaient donné lieu à de multiples controverses ; VM le savait, et décida d'en profiter. Il comblerait les vides et les lacunes, il rendrait à Vermeer la partie de sa vie artistique que tant de critiques lui attribuaient. En effet, lorsqu'il s'agissait du maître de Delft, les historiens de l'art pensaient qu'ils avaient le champ libre, qu'ils pouvaient lâcher la bride à leur imagination sans bornes : pour la simple raison que les attributions des peintures de Vermeer étaient très contestées, que la datation chronologique de ses œuvres était le fruit de conjectures plus ou moins plausibles, et la plus grande partie de sa biographie enveloppée dans l'obscurité la plus totale.

Derrière le plan de VM, il y avait peut-être l'appât du gain, mais il y avait surtout, et sûrement, la vengeance. De plus en plus amer et déçu, mais toujours obsédé par la folie des grandeurs, il continuait, même depuis qu'il s'était installé en France, à imputer son échec à une sinistre conspiration, ourdie aux Pays-Bas contre lui. En réalité, l'amour pour la tradition, qu'il avait développé durant ses années d'apprentissage à Deventer et à Delft, avait fait de lui un gardien excessivement zélé de l'idéal du XVIIe et du XVIIIe siècle, en matière de peinture. Pieter De Hooch et surtout Jan Vermeer étaient pour lui des modèles absolus, incomparables. Ainsi, tout en étant un homme peu sûr de lui et avide de reconnaissance, il avait tourné le dos, dès sa jeunesse, aux cercles artistiques néerlandais, et s'était muré dans un isolement dédaigneux. Il avait obstinément refusé de se laisser influencer, fût-ce d'une manière minime, par les mouvements artistiques des années vingt, et avait affiché son peu d'estime pour leurs représentants et leurs émules. Il haïssait de plus en plus viscéralement l'art moderne, qu'il considérait comme vide de tout contenu, ennemi de la forme et fruit d'un narcissisme infantile de l'artiste. Les œuvres que réalisaient, ces années-là, Magritte, Dalí ou Picasso constituaient pour lui les exemples les plus ignobles d'un art dégénéré, expériences futiles de peintres qui se conduisaient comme des malades mentaux. Ainsi, peu à peu, VM était devenu une sorte d'anachronisme vivant, et le vide s'était fait autour de lui.

Pendant longtemps, il n'avait pas su comment réagir devant l'hostilité universelle, puis, très lentement mais inexorablement, cette idée, aussi sournoise que fascinante, folle et diabolique, avait éclos en lui. Il porterait un coup d'une audace incroyable aux conventions sur lesquelles reposait tout le monde de l'art, un milieu gluant et hypocrite, qu'il duperait avec une férocité raffinée, en peignant un faux impossible à distinguer d'un chef-d'œuvre d'un des plus grands maîtres du XVIIe siècle. Il créerait donc un Vermeer inattendu, insolite, surprenant, mais un Vermeer dont rêvaient les critiques d'art, dont ils ressentaient la nécessité et le besoin. Puis, dès que la peinture serait acceptée et acclamée comme telle, il révélerait qu'il en était l'auteur. Cela démontrerait, sans l'ombre d'un doute, son génie créateur ; par la même occasion, il démasquerait l'ignorance et l'incompétence de ces critiques, spécialistes, experts et galeristes odieux, qui lui avaient unanimement nié le titre d'artiste. De plus, il prouverait que la valeur d'un tableau (comme celle de l'œuvre d'art en général) ne découle pas tant de ses qualités artistiques intrinsèques que de la marque qu'il porte, de l'étiquette qu'on lui fabrique, de la réputation que l'on bâtit autour de lui.

Vengeance, donc. Fureur iconoclaste, désir de destruction et de revanche. Mais il y avait une autre raison, beaucoup plus profonde, qui motivait le projet de VM. Avec le temps, en effet, il avait compris que ce n'était qu'en faisant passer ses œuvres pour des chefs-d'œuvre inconnus du XVIIe siècle, de préférence signés Vermeer, qu'il pouvait espérer – lui, un peintre réactionnaire inconnu – être considéré comme un génie, apprécié même de ses ennemis. S'il signait de son vrai nom la peinture qu'il comptait réaliser, il était sûr que personne ne le remarquerait. Il ne surprendrait pas le monde, il ne susciterait ni intérêt ni attention. Dans le meilleur des cas, ce tableau serait considéré comme une curiosité, une bizarrerie inoffensive. Une œuvre du XXe siècle, sans aucune relation avec la pensée et l'art contemporains. Non : pour voir son talent reconnu comme il l'avait toujours désiré, VM n'avait pas d'autre choix que d'annuler sa personnalité, de la fondre dans celle d'un maître ultra-célèbre, objet de vénération. Il devait réécrire la vie de ce maître et en réinventer l'art. Il devait ressusciter un peintre mort depuis deux cent soixante-dix ans, et recréer son Dieu à son image. Lui, Han Van Meegeren, né à Deventer le 10 octobre 1889, peintre de réputation modeste, devait se montrer à la hauteur d'un des plus grands maîtres du XVIIe siècle. Il devait devenir, il devait être Jan Vermeer de Delft.

VI

Les documents relatifs à la vie de Vermeer ne sont pas très nombreux ; de plus, ils apparaissent de nature plutôt aride. Retrouvés essentiellement dans des archives notariales et publiés par Abraham Bredius entre 1885 et 1916, et par John Michael Montias en 1989, ils permettent de reconstituer de l'extérieur l'histoire de sa famille, mais ne nous apprennent pas grand-chose (pour ne pas dire presque rien) concernant l'activité artistique de ce peintre, sur lequel nous avons bien peu d'éléments concrets. Quoi qu'il en soit, Joannis Reynierszoon Vermeer fut baptisé dans la Nouvelle Eglise de Delft le 31 octobre 1632. Joannis était la version latinisée de Jan, le prénom le plus communément attribué aux garçons dans les familles calvinistes de Delft ; un prénom que Vermeer n'utilisa jamais (il fut rebaptisé ainsi par les auteurs hollandais du siècle qui suivit sa redécouverte). Après quoi, on ignore tout de sa vie pendant plus de vingt ans, c'est-à-dire jusqu'à la fin du mois d'avril 1653, date à laquelle Vermeer se fiança avec Catharina Bolnes. On peut supposer, de manière plausible, que comme il vint au monde alors que sa mère avait déjà trente-sept ans, et douze ans après la naissance de sa sœur Gertruy, le petit Vermeer, un enfant solitaire, se réfugia très tôt dans l'univers fantastique du dessin. D'ailleurs, il pouvait y avoir été initié par les peintres et par les artistes qui fréquentaient la boutique de son père Reynier Janszoon, qui faisait commerce d'objets d'art, et par ce dernier lui-même.

En revanche, nous pouvons affirmer avec certitude que le grand-père maternel de Vermeer, Balthasar Gerrits, était un faussaire. La grand-mère paternelle, Neeltge Gorris, vendait de la brocante et des draps ; elle s'était mariée trois fois, avait été poursuivie pour escroquerie et avait fait faillite. L'oncle Reynier Balthens, ingénieur militaire, s'était retrouvé en prison, accusé d'avoir dilapidé des fonds municipaux durant la restauration des fortifications de Brouwerhaven, un port sur la côte nord de la Zélande. Le père, Reynier Janszoon, était tisseur de *caffa* (un précieux satin de soie mélangé à de la laine ou du coton) et avait achevé son apprentissage à Amsterdam. Son travail consistait à réaliser sur tissu des motifs traditionnels complexes et, par conséquent, exigeait des qualités de dessinateur. Le frère du père, le tailleur de pierre Anthonie, était parti deux fois pour les Indes hollandaises, pour y chercher fortune. Il ne s'agissait donc pas d'une famille aisée : composée d'artisans, elle appartenait à la catégorie inférieure de la classe moyenne et, de plus, avait mauvaise réputation. La branche maternelle était d'ascendance flamande, émigrée d'Anvers pour des motifs religieux, alors que les représentants de la branche paternelle étaient des calvinistes hollandais. Reynier Janszoon épousa Digna Balthens, la fille du faussaire, en 1615. L'aînée, Gertruy, naquit en 1620. Comme son activité de tisserand ne suffisait pas à faire vivre sa famille, Reynier Janszoon ouvrit une auberge sur le Voldersgracht, *De Vliegende Vos (Le Renard Volant)*. En mai 1641, il s'installa dans l'auberge Mechelen, sur le Grote Markt. En tant qu'aubergiste, il continuait à se faire appeler Vos, alors qu'en tant que marchand d'objets d'art – il était entré à la guilde de Saint-Luc en 1631 – il se servait d'un autre nom : Vermeer.

Le singulier mariage entre Joannis Vermeer et Catharina Bolnes, dont naîtraient quinze enfants (quatre mort-nés), eut lieu le dimanche 20 avril 1653 à Schipluy (aujourd'hui Schipluiden), à une heure de marche au sud de Delft. La mariée appartenait à une famille de riches propriétaires catholiques ; il est donc probable que le jeune Vermeer avait dû se convertir au catholicisme dans un délai de trois semaines, le temps qui s'écoula entre le jour des fiançailles et celui des noces. Maria Thins, la mère de Catharina, lointaine parente par alliance du peintre Abraham Bloemart d'Utrecht, avait dû surmonter une forte perplexité face à la discutable famille protestante de l'époux, avant de consentir à un mariage auquel elle s'était opposée, dans un premier temps. A part le grand-père faussaire, l'oncle ancien détenu, la grand-mère qui avait fait faillite et le père aubergiste, Maria Thins n'ignorait pas que la sœur de Vermeer était l'épouse d'un simple encadreur analphabète, dont la sœur était une très modeste femme de chambre (qui avait peut-être, en plus, donné le jour à un fils illégitime).

Mais si la famille Vermeer, par ailleurs très unie, semblait avoir des difficultés évidentes, d'ordre économique et social, les Bolnes – qui étaient catholiques, donc des citoyens de seconde catégorie dans une ville dominée par les protestants – durent affronter des problèmes insurmontables, y compris dans le domaine privé. Pire : les relations entre Maria Thins et son mari Reynier Bolnes, qui la brutalisait souvent, et énergiquement, s'avérèrent catastrophiques, au point qu'en novembre 1641, Maria obtint la séparation légale d'avec Reynier, la moitié des biens de son mari, et la garde de ses filles Cornelia et Catharina. Reynier, qui était propriétaire d'une manufacture de briques, se retrouva sans le sou en l'espace de dix jours. Willem, le fils colérique, fut confié à son père ; à la suite de cette décision malheureuse, il fut rapidement enfermé dans une maison de correction pour délinquants et malades mentaux. Quant à Catharina, elle avait un an de plus que Vermeer ; ce dernier ne devait pas ignorer la recommandation de Carel Van Mander, qui conseillait aux artistes d'épouser des femmes d'au moins dix ans leurs cadettes. En tout cas, Maria Thins exigea que les biens de sa fille soient séparés de ceux de son gendre : elle craignait sans doute que ce jeune artiste désargenté, qui n'en était qu'à ses premières armes, ne finisse par dilapider la dot de Catharina.

En effet, durant les premières années de mariage, Vermeer n'avait pas un florin en poche : le 29 décembre 1653, il entra dans les rangs de la guilde de Saint-Luc de Delft en qualité de maître peintre, mais il ne finit de payer son inscription que trois ans plus tard, probablement grâce à un prêt important de trois cents florins, accordé au couple par Maria Thins. Sur les maîtres éventuels du jeune Vermeer, on a échafaudé d'innombrables hypothèses ; en réalité, il n'est même pas sûr qu'il ait été l'élève d'un peintre réputé ; peut-être se limita-t-il à prendre des leçons de son père Reynier. Certains auteurs avancent le nom d'Evert Van Aelst, d'autres celui de Leonard Bramer, disciple de Rembrandt et ami de la famille de Vermeer. Plus probable apparaît Carel Fabritius, ancien charpentier et lui aussi élève de Rembrandt à Amsterdam, lequel s'était établi à Delft en 1650. De Gerard Terborch, nous savons qu'il était un portraitiste reconnu et un peintre de scènes de genre, mais, en contrepartie, il n'est absolument pas sûr – comme le voudraient certains critiques – qu'il ait été suffisamment proche de Vermeer pour avoir été témoin de son mariage. Quant à en avoir été le maître, aucune preuve ne vient l'attester, mis à part les conjectures habituelles, plus ou moins fondées.

En novembre 1657, Vermeer habitait avec sa femme dans la maison de la belle-mère, dans le "coin des papistes", entre l'Oude Langendijck et Molenpoort. A l'époque, Delft comptait environ trente mille habitants ; plusieurs d'entre eux étaient des artistes renommés, comme Carel Fabritius, Evert Van Aelst et Leonard Bramer, dont nous avons déjà parlé. En 1654, le célèbre peintre de scènes de genre Jan Steen loua une brasserie en ville ; la même année, Pieter De Hooch, maître renommé de la peinture intimiste, s'y installa lui aussi. Aux réunions de la guilde, outre les peintres, Vermeer rencontrait les maîtres des manufactures de faïences, mais aussi des verriers, des sculpteurs, des marchands d'œuvres d'art, des brodeurs, des libraires et des imprimeurs comme Arnold Bon, le poète dilettante qui, en 1667, définirait Vermeer comme l'héritier de Carel Fabritius (mort, entre-temps, dans l'explosion de la poudrière municipale). Pour le reste, la vie sociale de Delft n'offrait rien d'exaltant : pas de concerts en public, pas de théâtre, scène littéraire inexistante, à part la poésie religieuse. En privé, outre la peinture, Vermeer s'adonnait probablement à la musique, et sûrement à la lecture ; d'après l'inventaire rédigé au moment de sa mort, il s'avéra qu'il possédait cinq volumes in-folio et vingt-cinq autres livres (parmi lesquels, peut-être, des manuels de dessin perspectif). Certains, aujourd'hui, trouveront médiocre une telle bibliothèque, mais à l'époque elle ne l'était pas, y compris parce que les livres étaient très coûteux.

Quand Vermeer devint syndic de la guilde, en automne 1662, le déclin de Delft, comme centre artistique, avait déjà commencé, et la petite ville n'était plus à la mode pour les peintres : si bien que Pieter De Hooch se hâta d'émigrer vers les riches marchés, et les commanditaires aisés, d'Amsterdam et de La Haye. De plus en plus isolé, Vermeer ne remporta que peu de succès auprès du public, et n'eut pas d'élèves ou d'émules de quelque type que ce soit. En tout cas, il ne semble pas que son atelier ait été un "atelier" classique, fréquenté par un cercle d'apprentis. Le plus important lexique d'art hollandais du XVIIe siècle, le *Groote Schouburgh* d'Arnold Houbraken (publié à Amsterdam entre 1718 et 1721), ne le cite même pas. Dans les textes qui nous sont parvenus, les contemporains de Vermeer ne le mentionnent que quatre fois : dans le poème de Bon, déjà cité, dans la *Description de Delft* de Dirck Van Bleyswijck (1667), dans le journal intime du jeune amateur d'art Pieter Teding Van Berckhout (qui visita l'atelier de Vermeer le 14 mai et le 21 juin 1669) et dans le journal de voyage de Balthazar de Monconys, collectionneur français qui, le 11 août 1663, alla rendre visite à Vermeer, à Delft. Mais le peintre n'avait pas de tableaux à lui montrer – ou peut-être ne voulut-il pas le faire. Monconys fut alors conduit dans la boutique d'un boulanger (Hendrick Van Buyten, très probablement) où était exposé un tableau de Vermeer, un intérieur avec un seul personnage, évalué trois cents florins. Toutefois, d'après le collectionneur français, il en valait tout au plus soixante. Après quoi, Monconys visita aussi l'atelier de Frans Van Mieris, qui lui offrit une de ses peintures pour six cents florins. Gérard Dou lui en demanda trois cents. Plus modestement, Pieter Van Slingelandt lui proposa un tableau pour deux cents florins. Mais là aussi, Monconys ne comptait pas en débourser plus de soixante. Nous ne serons donc pas très étonnés d'apprendre que ce Français pingre n'acheta aucun des tableaux qui lui furent proposés, et évita soigneusement de se rendre chez le célèbre (et donc trop onéreux) Rembrandt Van Rijn.

Perfectionniste méticuleux, Vermeer retirait de maigres profits de la vente de ses tableaux, dont la moitié, entre 1657 et 1675, furent achetés par son principal commanditaire, Pieter Claeszoon Van Ruijven. Riche collectionneur de Delft, il fut également un grand ami de Vermeer, au point que sa femme, en rédigeant son testament, choisit de léguer au peintre la somme de cinq cents florins. A part Van Ruijven et Maria De Knuijt, on ne connaît que trois personnes qui, du vivant de Vermeer, achetèrent au moins une de ses œuvres : Diego Duarte, banquier d'Anvers, Hermann Van Swoll, contrôleur à la Wisselbank d'Amsterdam, et le déjà cité et richissime boulanger de Delft, Hendrick Van Buyten. Il est certain que sans le secours et les prêts réguliers de sa belle-mère Maria Thins, ce peintre exigeant et raffiné n'aurait jamais pu assurer l'entretien de sa nombreuse famille. Dans la Hollande du XVIIe siècle, la peinture ne rapportait, aux artistes de la génération de Vermeer, que des sommes relativement basses ; seuls les *Feinmaler* (les “peintres fins”) de Leyde, comme Gérard Dou ou Frans Van Mieris, atteignaient régulièrement les mille florins pour une de leurs œuvres. Dépourvu de patrimoine personnel, Vermeer se retrouva souvent face à des problèmes financiers et, pour arrondir ses revenus, il fit commerce d’œuvres d’art, comme son père ; un commerce, à vrai dire, peu lucratif puisqu’il ne lui rapportait pas plus de deux cents florins par an.

En mai 1672, il fut invité à La Haye pour estimer des peintures italiennes, avec un collègue plus âgé, Johannes Jordaens. Il s’agissait de peintures ayant appartenu à Gerard et à Jan Reynst, riches marchands d’Amsterdam, qui avaient réuni une importante collection, dans le but de s’attirer plus de reconnaissance sociale. Par la suite, la collection avait été vendue aux enchères, et le célèbre marchand de tableaux Gerrit Uylenburgh avait gardé pour lui quelques peintures, qu’il avait proposées au Grand Electeur du Brandebourg, Frédéric-Guillaume. L’agent de ce dernier, le peintre Hendrick Fromantiou, était convaincu qu’il s’agissait de vulgaires imitations ; il avait donc conseillé au Grand Electeur de refuser de les acheter, mais, pour Uylenburgh, il n’avait pas été question de les reprendre. Pour résoudre le problème, on fit appel à de nombreux représentants du monde des arts, en particulier à Jordaens et à Vermeer, qui, en l’occurrence, intervenait davantage en qualité d’expert et de marchand de tableaux que de peintre. En présence d’un notaire de La Haye, les deux hommes déclarèrent que le Michel-Ange et le Titien en question, non seulement n’étaient pas des peintures italiennes de grande qualité, mais pouvaient être considérés comme des croûtes qui ne valaient pas un dixième du prix demandé par Uylenburgh au Grand Electeur. Après d'autres querelles interminables, ce dernier réussit enfin à les rendre au marchand, conservant uniquement une *Tête de saint Jean* de Ribera. Uylenburgh fut obligé de se déclarer en faillite et de vendre toutes les peintures de sa collection.

Cependant, comme celles d'Uylenburgh, les affaires de Vermeer, déjà peu florissantes, connurent une débâcle complète en 1672, lorsque les Français envahirent les Pays-Bas. Les digues furent ouvertes et tout le territoire, submergé dans un but défensif, sombra dans une terrible crise économique. La guerre fut longue et désastreuse et mit les Pays-Bas à genoux, dans le domaine de la vente d'objets d'art et du commerce en général. En juillet 1675, désespéré, Vermeer se rendit à Amsterdam pour demander un prêt de mille florins à Jacob Rombouts, marchand d'objets d'art. Vers la mi-décembre, il s'effondra brusquement et mourut en quelques heures, peut-être à la suite d'un infarctus, ou plus probablement foudroyé par une attaque d'apoplexie. Il avait à peine quarante-trois ans. Le 15 décembre 1675, il fut enterré dans le caveau familial que Maria Thins possédait, près de la Vieille Eglise de Delft. Il laissait une veuve et onze enfants, dont huit n'étaient pas encore majeurs, deux gravement malades et un qui avait été blessé dans l'explosion d'un navire transportant des explosifs. Dans son atelier, on trouva deux peintures qui n'avaient pas été vendues (une *Dame avec un collier* et une *Jeune Femme avec une servante tenant une lettre*) ainsi que vingt-six tableaux de plusieurs autres auteurs, qui furent cédés pour la somme de cinq cents florins afin de payer les dettes contractées par Vermeer auprès d'un marchand de tableaux de Haarlem, Jan Coelenbier.

A ce qu'il semble, Catharina Bolnes n'hérita d'aucun objet de valeur particulière : l'inventaire de ses biens mentionne soixante et un tableaux, dont cinq seulement attribués à un auteur précis (trois à Fabritius et deux à Van Hoogstraten), plus des ustensiles de cuisine, des draps, des meubles, des vêtements d'enfant, la garde-robe du défunt – entre autres un manteau turc – et celle de Catharina elle-même, qui comportait une liseuse de satin jaune bordée de fourrure blanche, un vieux manteau vert, lui aussi bordé de fourrure blanche, et un manteau gris cendre. L'état des finances de Vermeer était si catastrophique que, le 24 avril 1676, Catharina présenta une demande à la Haute Cour des Pays-Bas pour avoir l'autorisation de différer le paiement de ses dettes. Le 30 septembre, le cartographe Antonie Van Leeuwenhoek, le plus éminent spécialiste en sciences naturelles de Delft, pionnier du microscope, fut nommé administrateur officiel des biens de Vermeer, pour le compte de ses faméliques créanciers. Le 15 mars 1677, à la guilde de Saint-Luc, Van Leeuwenhoek – après avoir racheté les tableaux cédés à Coelenbier – fit organiser, en qualité d'exécuteur testamentaire, une vente aux enchères de vingt-six tableaux de Vermeer, pour laquelle aucun catalogue ne fut rédigé. La veuve et la belle-mère du peintre firent leur possible pour éviter que le *Portrait de Vermeer dans une chambre avec divers accessoires** soit inclus dans la vente, mais en vain.

* *L'Art de la peinture. (N.d.T.)*

Après la mort de Maria Thins, survenue en 1680, le jour de Noël, Catharina Bolnes s'installa à Breda ; elle s'adressa à la Chambre des orphelins de Breda pour solliciter une aide financière, et obtint des subsides. Sept ans plus tard, elle tomba malade et mourut à l'âge de cinquante-six ans, après avoir nommé Hendrick Ter Beeck Van Coesfelt, notaire de La Haye, tuteur de ses enfants. Quelques années après, le 16 mai 1696, à Amsterdam, furent vendus – pour un total de mille cinq cent trois florins et dix stuivers – les vingt et un tableaux de Vermeer ayant fait partie de la collection de Jacob Dissius, qui venait de décéder ; il était imprimeur et ex-mari de Magdalena, la fille unique du patron de Vermeer, Pieter Claeszoon Van Ruijven, morte à vingt-sept ans seulement. Les prix atteints lors des enchères furent corrects sans être exceptionnels, avec des pointes maximales de cent soixante-quinze florins pour une *Servante versant du lait*, et deux cents pour *La Ville de Delft en perspective*.

Puis... puis les tableaux de Vermeer, comme ses enfants, commencèrent à se disperser dans toute la Hollande, et, en ce qui concerne les peintures, à l'étranger aussi. La benjamine du peintre, Aleydis, mourut à La Haye soixante-dix ans plus tard, en 1749. A l'époque, l'œuvre du peintre de Delft semblait destinée à ne rester qu'un épisode mineur, insignifiant, de l'histoire de l'art du XVIIe siècle ; alors que le fantôme de Joannis Vermeer, de manière inattendue, reviendrait planer, avec autorité, sur le monde de l'art, à partir de 1860. Plus encore : en l'espace de quelques décennies, le génie oublié de cet artiste mort en disgrâce, uniquement apprécié, de son vivant, par quelques rares collectionneurs provinciaux, resté durant deux siècles un simple nom auquel on ne pouvait même pas attribuer une lettre ou une page de journal intime, serait considéré comme la redécouverte la plus importante et la plus significative de tout le XXe siècle.

VII

Pendant quatre ans, terré dans son atelier de la villa Primavera, VM travailla à résoudre une série de problèmes techniques, avant de s'assurer qu'il pouvait être à la hauteur du style de Vermeer. Alors que Picasso travaillait à *Guernica*, Paul Klee à *Insula Dulcamara* et Piet Mondrian à sa *Composition en rouge et noir*, alors que l'art moderne célébrait sa énième révolution, VM s'exerçait à peindre sur une authentique toile du XVIIe siècle, à passer les couches de peinture indispensables et à maîtriser la technique du *sfumato* et du pointillé. En outre, il s'entraînait à utiliser les mêmes pigments que Vermeer, vu qu'il ne pouvait recourir aux pigments synthétiques : on aurait pu les identifier grâce à une analyse chimique ou au microscope. Il lui fallut donc beaucoup de temps pour se procurer les matériaux bruts, souvent difficiles à trouver et très onéreux, comme le lapis-lazuli. Il devait aussi les préparer à la main, de manière que, au microscope, les particules des pigments paraissent de nature hétérogène. Enfin, et surtout, il devait trouver le moyen de durcir la peinture et de reproduire sur la toile le réseau de craquelures, fines comme des cheveux, typiques des anciennes peintures à l'huile.

La peinture à l'huile donne l'impression, superficielle, d'être sèche quelques jours après son application. Mais il peut s'écouler plus de cinquante ans avant que le processus d'évaporation soit achevé. C'est ce processus qui provoque la diminution progressive du volume de la peinture et occasionne les craquelures sur la toile. La formation de ces craquelures peut être accélérée par les contractions et les expansions de la toile, provoquées par les changements de température et les variations de l'humidité. Les crevasses et les fissures se remplissent de poussière et de minuscules détritus, et peuvent même s'étendre en profondeur, au-delà de la première couche de peinture ; ceci est dû à plusieurs facteurs, entre autres à la qualité des pigments utilisés. Le choix du procédé le plus efficace pour reproduire les craquelures dépendrait donc de la manière dont VM durcirait la peinture. C'est-à-dire de la manière dont il réussirait à la faire sécher rapidement, sans l'endommager et sans faire disparaître les couleurs, et du moyen qu'il utiliserait pour obtenir la chaleur nécessaire et aboutir artificiellement, en une seule journée, à un séchage complet ; et donc, réduire à quelques heures un processus qui pouvait parfois demander un siècle.

VM commença par essayer l'huile de lin et d'œillette : il soumit des croûtes à plusieurs températures différentes, dans un four primitif. Après quoi, il construisit, de ses propres mains, un four électrique beaucoup plus grand et plus efficace, et l'installa dans le sous-sol. Ce fut à ce moment-là que disparut une jeune fille, dans des circonstances suspectes. Les habitants de Roquebrune remarquèrent un panache de fumée qui s'élevait au-dessus de la villa de VM, malgré la chaleur caniculaire : ils en conclurent, logiquement, que cet artiste bizarre et étranger, qui résidait à la villa Primavera, avait tué la jeune fille et était en train d'en brûler le cadavre. La police fit irruption dans la villa avec un mandat de perquisition ; on ne trouva aucune trace de la jeune fille disparue mais, en contrepartie, VM dut fournir à la police des explications détaillées concernant le gros four électrique qui trônait au sous-sol. Il répondit qu'il s'en servait pour réaliser des expériences techniques, et la police le crut ; mais à partir de ce moment-là, le nom de VM fut sur toutes les lèvres, à Roquebrune.

Une fois oubliée cette mésaventure absurde, qui lui avait attiré une publicité non désirée, VM expédia Jo en vacances dans un établissement balnéaire de Cannes ; il s'enferma dans son bureau, au dernier étage de la villa Primavera, où il reprit ses expériences, avec l'aide d'un livre du Pr Alex Eibner et d'un gros volume sur la technique de Vermeer, écrit par Martin De Wild, un expert néerlandais renommé. Au début de ses expériences avec le four électrique, VM s'aperçut que la peinture séchait rapidement, mais que les couleurs perdaient leur brillant ou changeaient de nuance ; en outre, la surface de la peinture était abîmée par des petites bulles et des brûlures. Plusieurs toiles, même, brûlèrent. En consultant le livre d'Eibner, VM apprit que les huiles essentielles (ou essences), comme celles de lilas et de lavande, s'évaporaient plus rapidement et plus complètement que les autres, et qu'elles produisaient moins d'effets indésirables sur la surface de la peinture.

Le problème était très controversé, mais on estimait que l'introduction dans la peinture d'émulsions, d'huiles essentielles, d'huiles volatiles et d'alcool était l'œuvre de Van Eyck. Un secret, une invention – celle des couleurs à haute teneur en résine – qui rendait la surface peinte brillante et émaillée, et qui en permettait la parfaite conservation. Cependant, VM comprit qu'il ne pourrait jamais reproduire la mystérieuse formule de Van Eyck, et qu'il devrait plutôt recourir à ses capacités d'invention et surtout à la chimie, s'il ne voulait pas que son projet extraordinaire connaisse un échec retentissant. Le problème essentiel, pour lui, était de transformer un liquide volatil – les pigments de Vermeer combinés aux huiles essentielles – en une surface extrêmement dure et solide, sans endommager les couleurs. Ce fut cette considération qui le poussa vers le domaine, encore largement inexploré, des produits synthétiques.

En peu de temps, VM comprit qu'il pouvait se servir d'une nouvelle substance, la bakélite, d'une dureté hors du commun. Le brevet de la bakélite avait été déposé dès 1907 par un chimiste américain, L. H. Baekeland, mais le produit ne s'était répandu que récemment. La bakélite était un composé de carbone, et contenait du phénol et du formaldéhyde. Le phénol (ou acide phénique) avait été découvert en 1834 dans une mine de charbon fossile. Le formaldéhyde avait été développé, par procédé synthétique, à la fin du XIXe siècle. Avec une intuition plutôt lumineuse, VM pensa que si une solution de ces deux substances pouvait produire la bakélite, elle pouvait aussi l'aider à durcir la peinture jusqu'au degré extrême qu'il désirait. Il s'agissait d'une application totalement originale : avant VM, personne n'avait jamais imaginé d'utiliser, dans la peinture, du phénol et du formaldéhyde comme résines artificielles.

Dans la pratique, VM entreprit de dissoudre la résine de phénolformaldéhyde dans le benzène (ou dans de la térébenthine) ; puis il mélangea le liquide marron qui en résultait avec une huile essentielle de lilas ou de lavande, incorporant dans ce liquide divers pigments et essayant de préserver la peinture ainsi obtenue – car elle tendait à sécher trop vite, à cause de la présence de résine. Il incorporait aussi des pigments dans l'huile de lilas et les gardait prêts sur la palette, à côté de la solution résineuse. Il trempait son pinceau dans celle-ci, puis dans la peinture aux pigments et à l'essence de lilas et, pour finir, étendait le tout sur la toile. Après une interminable série de tentatives, il obtint une formule de plus en plus satisfaisante, en cuisant la peinture dans un four, pendant deux heures, à cent cinq degrés centigrades ; son euphorie ne fut pas entamée par la menace des risques évidents qu'il encourait en utilisant le phénol et le formaldéhyde (découverts au XIXe siècle) pour réaliser une peinture du XVIIe siècle.

VM savait pertinemment que ses faux ne seraient jamais soumis à une analyse chimique et qu'en tout cas, la majeure partie de la résine s'évaporerait durant le processus de séchage, ne laissant que de légères traces de sa présence criminelle – traces qui, de toute façon, ne seraient jamais identifiées, sauf si on en soupçonnait l'existence, éventualité que l'on pouvait apparemment exclure. En outre, VM pourrait toujours soutenir avoir utilisé des substances suspectes au cours des travaux de restauration de la toile, pour repeindre de vastes zones du tableau, y compris la signature. Enfin, il n'ignorait pas que les opinions des chimistes peuvent être subjectives et discutables, au moins autant que celles des historiens d'art ; que leurs méthodes pour interpréter un test présentent des divergences parfois phénoménales, et qu'ils sont prêts à tirer des conclusions totalement infondées, pourvu qu'elles corroborent leurs thèses et servent leurs objectifs.

En ce qui concerne les pigments, VM, obsédé par la perfection, se trouva face à un autre problème épineux. Les pigments disponibles dans le commerce étaient tous synthétiques ; il fallait donc essayer de se procurer les matériaux bruts utilisés par Vermeer, puis les traiter suivant les mêmes méthodes que le maître de Delft. Ce dernier aimait par-dessus tout la lumière – les accords et les mélodies de la couleur. Et donc la révolution opérée par Vermeer à partir de 1660, le tournant radical qu'il imprima à la peinture d'intérieurs, en plongeant les silhouettes dans une lumière rendue avec un maximum de splendeur grâce à des nuances magistrales (peut-être en utilisant des instruments optiques comme la *camera obscura* et le télescope à l'envers pour obtenir la perspective), ce tournant n'aurait pu se produire sans un long et patient travail sur les couleurs, les stupéfiantes couleurs de Vermeer. Celles-ci, par ailleurs, comme celles des autres maîtres du XVIIe siècle, étaient tirées d'une douzaine de pigments tout au plus. Il s'agissait d'une gamme chromatique dans laquelle dominaient le bleu ciel et le jaune, couleurs complémentaires que Vermeer mettait en valeur, en les juxtaposant, de préférence, au rouge et au noir.

Le bleu était de loin la couleur la plus importante de la palette de Vermeer, et son bleu préféré était l'outremer. VM aurait pu l'obtenir de manière synthétique en utilisant du chlorate de sodium chauffé avec du kaolin, du charbon et du soufre, en fabriquant un pigment qui aurait été impossible à distinguer d'un pigment naturel, sauf si on l'analysait au microscope. Mais Vermeer le tirait des lapis-lazulis réduits en poudre, et VM voulait obtenir le même résultat. Toutefois, les lapis-lazulis étaient très coûteux et rares (on n'en trouve que dans quelques régions éloignées) et donc difficilement disponibles. De plus, ce matériau n'était pas toujours adapté à la préparation des pigments, et il était très compliqué d'en obtenir une quantité suffisante. A l'époque de Vermeer, de nombreux peintres qui ne pouvaient se permettre de l'acheter le remplaçaient par l'azurite et le bleu de Saxe. Vermeer, par contre, aimait peindre en utilisant l'outremer dans sa forme la plus raffinée : un quart de livre coûtait soixante florins et, pour comprendre la somme que cela représentait, il suffit de se dire qu'aucun tableau vendu du vivant de Vermeer ne rapporta une somme comparable à celle-ci. VM réussit à se procurer quatre lots de lapis-lazuli, pour un total de douze onces et demie, qu'il acheta dans le plus grand magasin londonien spécialisé dans ce domaine, Winsor & Newton ; il les paya quatre guinées l'once. Puis il pila lui-même le matériau brut, pour être sûr que les particules ne seraient pas trop homogènes.

Quant aux célèbres jaunes de Vermeer, tirés du massicot (un oxyde de plomb) ou des ocres, ils ne posèrent pas de problèmes majeurs à VM : ainsi, il obtint facilement de l'orange à partir d'une gomme résineuse, également utilisée comme purgatif. Le vert du XVIIe siècle ne se tirait plus de la malachite (un minéral proche de l'azurite, donc un carbonate de cuivre bleu ciel), substance devenue démodée ; pour obtenir le vert, les peintres de l'époque avaient donc l'habitude de mélanger du bleu et du jaune, et VM ne manqua pas d'adopter le même procédé. Déployant, à l'instar de Vermeer, une grande virtuosité alchimique, il tira le noir du charbon de bois obtenu à partir de jeunes pousses de vigne, le *nigrum optimum* des manuels médiévaux, défini en 1678 par Samuel Van Hoogstraten comme "charbon des vrilles brûlées". Pour le blanc, couleur particulièrement sujette aux craquelures, VM se servit de la céruse (tirée du plomb), qui avait l'inconvénient d'être toxique et de se décolorer facilement : l'oxyde de zinc ne présentait pas les mêmes défauts, mais était resté inconnu jusqu'à la fin du XVIIIe siècle. Pour le rouge, il eut recours au vermillon, dérivé du cinabre, un minéral constitué de sulfure de mercure. Dès 1400, à propos du vermillon, Cennino Cennini écrivait : "Sache que si tu le broyais pendant vingt ans, la couleur n'en deviendrait que plus fine et plus belle." Toutefois, comme le vermillon risquait parfois de noircir par suite de modifications moléculaires, les peintres du XVIIe siècle, pour le rendre plus stable, le mélangeaient au minium (oxyde de plomb), ou ajoutaient un peu de safran. Sinon, ils utilisaient des rouges tirés de matières organiques, les laques, dont la plus voyante était le carmin (appelé, au XVIIe siècle, "laque florentine" ou "laque de Haarlem") : VM l'obtint en faisant bouillir de la cochenille et en y ajoutant des sels acides.

Restait le problème, crucial, des craquelures ; VM commença à le résoudre lorsqu'il entreprit ses expériences de grattage de la peinture, sur les authentiques toiles du XVIIe siècle qu'il projetait de réutiliser pour ses faux. Durant les premières phases de ses recherches, VM jugea en effet opportun d'enlever totalement la peinture des vieux tableaux sur lesquels il travaillait, de manière qu'aucune partie de celle-ci ne puisse être visible, si le faux était soumis aux rayons X. Puis il changea d'avis et commença à laisser intactes de larges zones de l'original, car il savait que les rayons X n'étaient presque jamais utilisés pour analyser une œuvre attribuée à un ancien maître, et que la découverte d'une peinture sous-jacente ne constitue pas en soi une indication prouvant que le tableau est un faux. Pour ne citer qu'un exemple, il existe un Vermeer célèbre, la *Jeune fille au chapeau rouge* de la National Gallery de Washington, jugé authentique par beaucoup de critiques et qui, aux rayons X, s'avéra peint sur une toile antérieure, au dos d'un portrait d'homme.

Enfin, VM décida de laisser intacte la dernière couche de peinture, la plus profonde, puisqu'il serait de toute façon impossible de l'enlever sans endommager la toile, déjà fragile et vulnérable. Cette considération l'amena à déduire que s'il réussissait à conserver la dernière couche et, avec elle, les craquelures authentiques et originales qu'elle comportait, il pourrait reproduire et faire émerger le dessin et le réseau de ces mêmes craquelures, y compris sur les couches qu'il superposerait par la suite. En pratique, l'idée était de renverser le processus naturel de craquelure : avec l'évaporation progressive, les craquelures s'étendent des couches superficielles de la peinture aux couches plus profondes ; VM ferait en sorte que le contraire se produisît. Il s'agissait d'une opération très compliquée et extrêmement difficile, un processus interminable et ennuyeux, qui exigeait une patience de bénédictin et une concentration presque surhumaine car, entre autres, il fallait détacher un à un de minuscules fragments de peinture, en utilisant de l'eau et du savon, avec une pierre ponce et un ciselet.

Le procédé était ingénieux et sophistiqué, mais VM savait qu'il ne garantissait pas des résultats d'une perfection absolue. Sur les couches superficielles de la peinture, il pouvait toujours rester des zones où les craquelures d'origine ne réapparaîtraient pas après la cuisson (et, en effet, c'était le cas) ; VM, qui ne possédait pas d'appareil de radiographie pour vérifier si la chose s'était produite ou non, décida de créer des craquelures supplémentaires en enroulant la toile sur un cylindre, en la froissant, en l'étirant ou en triturant son envers avec le pouce. Il eut la satisfaction de remarquer que plusieurs des crevasses et des fissures obtenues par ce procédé un peu artisanal tendaient, de manière étrange et propice, à correspondre aux craquelures originales, qui, elles, n'avaient pas eu la bonne idée d'apparaître.

Il fit ensuite une autre découverte fondamentale pour améliorer l'efficacité de sa technique. Il s'aperçut que, une fois le tableau sorti du four, s'il recouvrait toute la surface de la peinture d'une fine couche de vernis et s'il la laissait sécher naturellement, les craquelures apparaissaient plus vite et plus uniformément. En outre, le vernis jouait un rôle important. D'une manière ou d'une autre, VM devait s'assurer que chaque petite fissure, dans le réseau de craquelures, semblait remplie de poussière, de crasse et de minuscules détritus déposés au cours de trois siècles. Il essaya alors de couvrir toute la surface vernissée d'une couche d'encre de Chine qu'il laissa sécher naturellement, puis enleva en même temps que le vernis, à l'aide d'alcool ou de térébenthine. Il put constater qu'une partie de l'encre de Chine avait pénétré, à travers les craquelures superficielles, dans les fissures de la peinture sous-jacente. Chose surprenante : après ce processus, l'encre de Chine ne se distinguait presque pas de la poussière, même si elle semblait un peu trop homogène pour être parfaite. A ce stade, pour compléter l'opération, il suffisait d'appliquer sur la peinture une nouvelle couche de vernis, de couleur légèrement brunâtre.

A la fin, VM estima être en mesure de préparer une bonne surface craquelée – c'est-à-dire qui laisserait apparaître comme par magie les craquelures originales de l'authentique peinture du XVIIe siècle, même après les cuissons au four. Toutefois, avant de se lancer dans l'aventure du *Christ à Emmaüs*, vers le milieu de l'année 1935, VM commença à exécuter des compositions à titre d'essai, en utilisant les pigments de Vermeer et d'autres anciens maîtres, pour lesquels il nourrissait un intérêt beaucoup plus modeste. Il en résulta, entre autres, quatre peintures qui ne furent jamais commercialisées et qui seraient retrouvées, dix ans plus tard, par l'inspecteur de police néerlandais Wooning, dans la villa semi abandonnée que VM, après avoir quitté Roquebrune, avait louée à Nice. Il s'agissait d'une *Femme qui boit*, à la manière de Frans Hals (signée F. H.), d'un petit *Portrait d'homme* inachevé, non signé mais clairement inspiré de Terborch, et de deux Vermeer (eux aussi non signés) : une *Femme lisant de la musique* et une *Musicienne*, également inachevée.

Pour preuve du sérieux et de la cohérence de ses intentions et de son perfectionnisme maniaque, VM n'essaya même pas de les vendre, bien que l'on pût les considérer comme des faux excellents. Ils étaient tous réalisés, avec beaucoup de soin, sur d'authentiques toiles du XVIIe siècle, dont la peinture originale avait été soigneusement grattée, à l'exception du fond, en utilisant la formule au phénolformaldéhyde. Les craquelures étaient très réussies et les pigments utilisés analogues à ceux du XVIIe siècle, à part le cobalt (inconnu jusqu'au XIXe siècle) dans la *Femme lisant de la musique*. Les deux Vermeer, en particulier, étaient des compositions impeccables et de bonne qualité technique, même si les craquelures de la *Musicienne* donnaient l'impression d'avoir été obtenues plus en enroulant la toile que par un développement spontané, durant le processus de cuisson.

La *Musicienne* inachevée, composition qui présente des similitudes précises avec *La Leçon de musique* de Vermeer, montre une jeune femme assise, en train d'accorder un instrument de musique qui ressemble à un luth. Un miroir reflète sa nuque couverte d'une coiffe, le carrelage du sol et environ la moitié de la nature morte sur la table à côté d'elle – une partition et un plat contenant des fruits. La source lumineuse est du pur Vermeer : une fenêtre sans rideaux, à gauche du tableau. Dans la *Femme lisant de la musique*, inspirée de la *Liseuse en bleu*, de Vermeer, une femme est assise à une table, de profil, occupée à lire des yeux une partition. Sur le mur, derrière elle, se trouve une grande peinture encadrée. La source lumineuse est, comme toujours, naturelle – une fenêtre à gauche de la toile – étant donné que Vermeer ne nourrissait aucun intérêt pour le clair-obscur, pour la pénombre, pour les lueurs des torches, pour la réverbération de la flamme des bougies. Le visage de la femme est presque une copie de celui de la *Liseuse en bleu*, et le ruban qui retient les cheveux presque identique, même si VM a ajouté un collier de perles et une grosse boucle d'oreille. Le vêtement est extrêmement semblable, et la femme paraît enceinte.

Bref, les deux Vermeer apparaissent si proches de l'original que VM n'aurait eu aucune difficulté à les placer chez un antiquaire et, par conséquent, à réaliser une bonne affaire et compenser, au moins partiellement, les dépenses engagées pour développer et consolider sa technique. Mais VM ne pouvait pas se contenter de produire un faux qui aurait pu être homologué comme une œuvre, tout juste moyenne, d'un maître du XVIIe siècle. Son projet, comme nous le savons, était beaucoup plus audacieux et ambitieux : il voulait créer un chef-d'œuvre d'une très haute valeur esthétique et d'une énorme portée historique. Les deux Vermeer qu'il avait réalisés étaient, par leur sujet et leur composition, trop semblables aux peintures les plus célèbres et admirées du maître de Delft, et correspondaient avec trop de zèle à l'image commune que le public et les experts s'étaient fabriquée de Vermeer. Bref, c'étaient exactement les tableaux qu'aurait produits un faussaire de talent et à la technique irréprochable : mais le but de VM n'était pas de devenir seulement un brillant faussaire. Il voulait, par-dessus tout, être un grand peintre, un artiste capable d'égaler le génie de Vermeer.

VIII

Pendant plus de deux siècles, les tableaux de Vermeer furent plutôt difficiles à vendre. Souvent, ils furent vendus en contrebande et passèrent pour des œuvres de Pieter De Hooch, Gabriel Metsu et Frans Van Mieris. *La Liseuse à la fenêtre*, aujourd'hui à la Gemäldegalerie de Dresde, fut achetée en 1724 par Auguste III, électeur de Saxe, avec la conviction inébranlable qu'il s'agissait d'un Rembrandt. En 1783, par contre, on décida d'en tirer une gravure, car on jugeait que c'était une œuvre de Govaert Flinck. *Le Soldat et la Jeune Fille souriant* fut vendu lors d'une vente aux enchères à Londres, en 1861, comme une œuvre de Pieter De Hooch, et de nouveau attribué à ce dernier, à l'occasion de deux ventes aux enchères à Paris, en 1866 et 1881. Il fut acheté à ce titre par le collectionneur Samuel S. Joseph, puis par Knoedler, un galeriste de New York, avant d'être acquis par le roi du charbon et de l'acier, Henry Clay Frick, en 1911.

Le verre de vin, transféré à Paris comme butin de guerre sous Napoléon Ier, fut longtemps considéré comme une peinture de Jacob Van der Meer. Thoré-Bürger le baptisa *La Coquette* et l'attribua à Vermeer de Delft, en 1860. *La Femme à l'aiguière*, du Metropolitan Museum, passa à la vente Vernon en 1877, comme œuvre de Gabriel Metsu. Dix ans plus tard, lorsque Henry G. Marquand l'acheta à la galerie Pillet, à Paris, on jugea que c'était un De Hooch. En 1888, Marquand décida de le donner au Metropolitan, si bien que la peinture devint le premier Vermeer exposé dans une collection publique aux Etats-Unis.

Même *La Femme à la balance* était attribuée à Gabriel Metsu, lorsqu'on vendit aux enchères, en 1825, la collection du défunt roi de Bavière Maximilien Ier. *La Leçon de musique* était considérée comme un Frans Van Mieris lorsqu'elle faisait partie de la collection du consul anglais à Venise Joseph Smith, vendue au roi George III en 1762 ; la peinture se retrouva ainsi dans la collection de la maison royale anglaise, et elle est exposée aujourd'hui à Buckingham Palace. L'*Art de la peinture* fut acheté en 1813, pour cinquante florins autrichiens et par l'intermédiaire d'un sellier, par le comte Johann Rudolph Czernin, lequel était convaincu qu'il s'agissait d'un De Hooch. Mais en 1938, quand Hitler le réclama pour l'accrocher dans sa résidence alpestre de Berchtesgaden, il était providentiellement redevenu un Vermeer.

Les attributions erronées se sont donc multipliées jusqu'à des années récentes, y compris à cause de l'extraordinaire minceur de la production du maître de Delft. Sur un total déjà peu élevé – selon des estimations sérieuses, environ cinquante peintures en vingt ans de carrière, un peu plus de deux œuvres par an –, il ne subsiste que trente-quatre toiles attribuables à Vermeer avec une certitude raisonnable. Mais quatre ou cinq de ces toiles sont très contestées. En outre,

Vermeer n'a pas signé toutes ses peintures (parfois, les signatures sur les toiles sont fausses) : et cela, même si la signature n'est pas essentielle pour déterminer la paternité d'une toile, a accru les difficultés inhérentes à toute attribution. Même les datations des tableaux de Vermeer sont tout aussi incertaines, vagues et sujettes à des hypothèses ou à des analyses stylistiques : seule *L'Entremetteuse* (dont on n'est pas sûr, par ailleurs, qu'il s'agisse d'un Vermeer) porte une date certaine (1656). Les dates apposées sur *L'Astronome* (1668) et sur *Le Géographe* (1669) sont probablement apocryphes, ajoutées plus tard – tout comme les signatures, du reste.

En contrepartie, certains Vermeer originaux ont été perdus – disparus dans le néant, entre autres parce que longtemps considérés comme des tableaux sans valeur. En 1784, par exemple, le marchand d'objets d'art Joseph Paillet incita vainement Louis XVI à acheter *L'Astronome* de Vermeer. Mais au milieu du XVIIIe siècle, même si une maison royale, une famille ou un musée avaient acheté un Vermeer sans le savoir – à la suite d'une attribution douteuse ou erronée, voire sans aucune attribution –, ils auraient préféré le considérer comme une œuvre de l'"école de De Hooch" ou d'un "maître inconnu". De cette manière, naturellement, l'attribution erronée aurait joui de l'approbation officielle, et par conséquent un autre Vermeer aurait définitivement disparu. Jusqu'au milieu du XIXe siècle, en vérité, un collectionneur sérieux n'aurait guère été heureux de savoir que le De Hooch qu'il venait d'acheter au prix fort était un Vermeer – un peintre dont, selon toute probabilité, il n'avait jamais entendu le nom. Mais même en 1882, alors que Vermeer avait été déjà abondamment "découvert" par Thoré-Bürger au Salon de Paris de 1866, la *Jeune fille à la perle*, l'un des Vermeer les plus fascinants, fut achetée lors d'une vente publique par le collectionneur Arnoldus Andries des Tombe, pour la somme dérisoire de deux florins.

Le principal responsable de la réévaluation du maître de Delft, Etienne-Joseph-Théophile Thoré, qui écrivait sous le pseudonyme de William Bürger (et qui, par la suite, serait plus simplement appelé Thoré-Bürger), fut avocat, journaliste, homme politique socialiste, ami de Proudhon et révolutionnaire, en 1848. Contraint de s'exiler, il se consacra à la critique d'art et réalisa, entre autres travaux, des recherches sur Vermeer dans les collections de Dresde, Bruxelles, Vienne, La Haye, Brunswick et Berlin. C'est à lui que l'on doit, en particulier, la définition de Vermeer la plus évocatrice (et en tant que telle, nous l'utiliserons souvent) : "le sphinx de Delft". Infatigable et enthousiaste, Thoré-Bürger poussa des amis aisés, comme Casimir Perier, le baron Cremer et James de Rothschild, à acheter des peintures de Vermeer. Certaines, comme le merveilleux *Collier de perles*, avaient été achetées par lui-même. Il écrivit en outre trois articles essentiels, illustrés – cinquante-huit pages au total – dans *La Gazette des beaux-arts* de 1866. "On dirait que la lumière de Vermeer provient des peintures elles-mêmes, écrivait-il, plein d'admiration. Un homme, entrant dans la maison de M. Double, où était exposé sur un chevalet *Le Soldat et la Jeune Fille souriant*, alla regarder derrière la toile pour voir d'où provenait la merveilleuse splendeur de la fenêtre ouverte."

Thoré-Bürger écrivit l'une des premières tentatives de biographie de Vermeer, qui s'avéra pour le moins fantaisiste. Il était trop généreux et trop pressé de retrouver des signatures disparues : lorsqu'il dirigea le premier catalogue raisonné des œuvres de Vermeer, il attribua au maître de Delft pas moins de soixante-quatre tableaux, entre autres des œuvres de Metsu, De Hooch, Koedijck, Eglon Van der Neer et Jan Vermeer de Haarlem. Il attribua également à Vermeer le *Cottage rustique*, qu'il exposa ensuite au Salon de Paris de 1866. L'ennui, c'est qu'il avait été peint par Derk Jan Van der Laan en 1800. Et en l'occurrence, ce fut justement le plus grand expert vermeerien, Abraham Bredius, qui attribua le tableau à Van der Laan, aristocrate et peintre amateur natif de Zwolle, qui se plaisait à imiter avec succès non seulement la technique de Vermeer mais parfois, aussi, sa signature. Indigné, Bredius écrivit ces paroles prophétiques : "Quelle hérésie, prendre un tableau du XVIIIe ou du XIXe siècle pour un Vermeer !"

Après deux siècles d'obscurité quasi totale, à la fin du XIXe siècle, des œuvres oubliées de Vermeer commencèrent à sortir de l'ombre, un peu partout en Europe. Mieux : en l'espace de quelques années, Vermeer atteignit les Etats-Unis ; à *La Laitière*, donnée par Marquand au Metropolitan, succéda *Le Concert à trois*, qu'Isabella Steward Gardner acheta personnellement en 1892 lors de la vente de la collection Thoré-Bürger ; volée à Fenway Court, à Boston, le 18 mars 1990, c'est la seule peinture attribuée avec certitude à Vermeer qui n'ait jamais été retrouvée. L'événement suscita la rancune de J. Pierpont Morgan, personnage légendaire et collectionneur rival d'Isabella Gardner. Ainsi, lorsque, en 1907, G. S. Hellmann, un antiquaire, proposa à Morgan *La Jeune Femme en jaune écrivant une lettre* de Vermeer, le propriétaire de la US Steel Corporation – un trust de mille millions de dollars – daigna le recevoir à trois heures du matin. A l'inverse d'Isabella Gardner, Morgan ignorait les publications récentes sur le maître de Delft, dont il n'avait jamais entendu parler ; mais il savait que sa concurrente avait acheté une œuvre de ce peintre mystérieux, et cela lui suffisait.

Silhouette massive allongée sur un lit à baldaquin, l'amateur d'art le plus connu au monde fumait un cigare pestilentiel et planifiait, avec son conseiller attitré, Joseph Duveen, l'achat de toute la collection Swenigodoroski (un magnifique ensemble d'émaux byzantins). Depuis des mois, Hellmann poursuivait Morgan sur terre et sur mer. Il s'était installé dans le même hôtel que lui, à Aix-en-Provence, où le magnat faisait ses cures thermales habituelles. Il l'avait talonné durant une croisière sur le Nil, que Morgan remontait à bord de son bateau privé. Il s'était posté des semaines entières devant l'une des innombrables demeures anglaises du financier, avait campé devant les grilles de Prince's Gate et devant l'entrée du parc de Dover House. Pour se préparer à cette rencontre extrêmement délicate, Hellmann avait même pris des leçons auprès du tenancier Dick Cainfield, afin d'apprendre les secrets des jeux de cartes préférés du milliardaire.

Pourtant, lorsque, avec dans la voix un tremblement bien compréhensible, Hellmann réussit enfin à lui proposer l'affaire, le visage farouche de Morgan – petite moustache tombante, nez tuméfié à cause d'une maladie – se tordit sous l'effet d'un rictus. Puis le magnat, qui par deux fois avait sauvé l'Amérique du désastre financier, expliqua à Hellmann qu'un marchand londonien avait essayé de lui vendre une toile de Ghirlandaio, en la faisant passer pour un Raphaël. Le marchand lui avait dit : "Mr Morgan, tous les critiques soutiennent que ce tableau n'est pas de Raphaël, mais vous et moi, nous savons qu'il est de lui." Morgan lui avait lancé une œillade entendue et avait répondu : "C'est un Ghirlandaio, mais emballez-le-moi quand même." Encouragé par cette anecdote savoureuse, Hellmann lui demanda cent mille dollars, rubis sur l'ongle. Le rapace Morgan ne cilla pas. Il savait que, depuis le XVe siècle, les faussaires contrefaisaient des tableaux à tour de bras, mais cette considération ne l'arrêta pas. "Je suis preneur", dit-il.

Vermeer ne fut pleinement révélé au public américain que par la mémorable exposition Hudson-Fulton, en 1909, organisée au Metropolitan de New York par Wilhelm Valentiner, également auteur de l'introduction au catalogue. On y exposa entre autres trente-sept Rembrandt, vingt Hals et seulement six Vermeer, mais ils furent plus que suffisants pour consolider la notoriété croissante du maître de Delft, jusque-là presque inconnu. Par conséquent, dans les années vingt et trente – y compris grâce à l'admiration inconditionnelle d'écrivains célèbres, comme Marcel Proust –, la réputation de Vermeer ne cessa de croître. Jusqu'à ce que, en 1935, le "sphinx de Delft" se voie consacrer, à Rotterdam, une grande exposition personnelle. L'auteur du catalogue, Dirk Hannema, écrivit que, avec celle de Rembrandt, "la figure de Vermeer s'élève au-dessus de tous les autres artistes du grand siècle que fut le XVIIe". Sur les quinze œuvres exposées par Hannema à Rotterdam, pas moins de six n'étaient malheureusement pas de Vermeer ; mais désormais, la consécration mondiale avait eu lieu.

IX

J'appris que ce jour-là avait eu lieu une mort qui me fit beaucoup de peine, celle de Bergotte. On sait que sa maladie durait depuis longtemps. (...)

Il y avait des années que Bergotte ne sortait plus de chez lui. D'ailleurs, il n'avait jamais aimé le monde, ou l'avait aimé un seul jour, pour le mépriser comme tout le reste et de la même façon qui était la sienne, à savoir non de mépriser parce qu'on ne peut obtenir, mais aussitôt qu'on a obtenu. Il vivait si simplement qu'on ne soupçonnait pas à quel point il était riche, et l'eût-on su qu'on se fût trompé encore, l'ayant cru alors avare alors que personne ne fut jamais si généreux. (...) J'ai dit que Bergotte ne sortait plus de chez lui, et quand il se levait une heure dans sa chambre, c'était tout enveloppé de châles, de plaids, de tout ce dont on se couvre au moment de s'exposer à un grand froid et de monter en chemin de fer. Il s'en excusait auprès des rares amis qu'il laissait pénétrer auprès de lui, et montrant ses tartans, ses couvertures, il disait gaiement : "Que voulez-vous, mon cher, Anaxagore l'a dit, la vie est un voyage !" (...)

Dans les mois qui précédèrent sa mort, Bergotte souffrait d'insomnies, et ce qui est pire, dès qu'il s'endormait, de cauchemars qui s'il s'éveillait faisaient qu'il évitait de se rendormir. (...)

Enfin dès que dans son sommeil l'obscurité était suffisante, la nature faisait une espèce de répétition sans costumes de l'attaque d'apoplexie qui l'emporterait : Bergotte entrait en voiture sous le porche du nouvel hôtel des Swann, voulait descendre. Un vertige foudroyant le clouait sur sa banquette, le concierge essayait de l'aider à descendre, il restait assis, ne pouvant se soulever, dresser ses jambes. (...)

Il mourut dans les circonstances suivantes. Une crise d'urémie assez légère était cause qu'on lui avait prescrit le repos. Mais un critique ayant écrit que dans la Vue de Delft *de Ver Meer (prêté par le musée de La Haye pour une exposition hollandaise), tableau qu'il adorait et croyait connaître très bien, un petit pan de mur jaune (qu'il ne se rappelait pas) était si bien peint qu'il était, si on le regardait seul, comme une précieuse œuvre d'art chinoise, d'une beauté qui se suffisait à elle-même, Bergotte mangea quelques pommes de terre, sortit et entra à l'exposition. Dès les premières marches qu'il eut à gravir, il fut pris d'étourdissements. Il passa devant plusieurs tableaux et eut l'impression de la sécheresse et de l'inutilité d'un art si factice, et qui ne valait pas les courants d'air et de soleil d'un palazzo de Venise, ou d'une simple maison au bord de la mer. Enfin il fut devant le Ver Meer qu'il se rappelait plus éclatant, plus différent de tout ce qu'il connaissait, mais où, grâce à l'article du critique, il remarqua pour la première fois des petits personnages en bleu, que le sable était rose, et enfin la précieuse matière du tout petit pan de mur jaune. Ses étourdissements augmentaient ; il attachait son regard, comme un enfant à un papillon jaune qu'il veut saisir, au précieux petit pan de mur. "C'est ainsi que j'aurais dû écrire, disait-il. Mes derniers livres sont trop secs, il aurait fallu passer plusieurs couches de couleur, rendre ma phrase en elle-même précieuse, comme ce petit pan de mur jaune." Cependant la gravité de ses étourdissements ne lui échappait pas. Dans une céleste balance lui apparaissait, chargeant l'un des plateaux, sa propre vie, tandis que l'autre contenait le petit pan de mur si bien peint en jaune. "Je ne voudrais pourtant pas, se dit-il, être pour les journaux du soir le fait divers de cette exposition." Il se répétait : "Petit pan de mur jaune avec un auvent, petit pan de mur jaune." Cependant il s'abattit sur un canapé circulaire ; aussi brusquement il cessa de penser que sa vie était en jeu et revenant à l'optimisme se dit : "C'est une simple indigestion que m'ont donnée ces pommes de terre pas assez cuites, ce n'est rien." Un nouveau coup l'abattit, il roula du canapé par terre où accoururent tous les visiteurs et gardiens. Il était mort.*

La scène de la mort de Bergotte est l'une des plus allusives et métaphoriques de toute la *Recherche* de Marcel Proust. Un passage destiné à une célébrité justifiée, que Proust élabora au cours des deux dernières années de sa vie, et qu'il voulut absolument insérer dans son roman-fleuve. C'est pour cette raison que Proust, plus que tout autre écrivain, a été lié à la figure de Vermeer ; avec le temps, ce lien étroit est même devenu indissoluble. Non seulement Proust a contribué de manière décisive à consolider la réputation de Vermeer, mais il a fait du maître de Delft le symbole même du caractère sacré de l'art. C'est dans ce but qu'il a utilisé l'épisode de la mort de Bergotte. La scène finit par trouver place dans la première partie de *La Prisonnière* ; les matériaux qui constituent ce volume de la *Recherche* ont été rédigés entre la fin de 1915 et 1918, mais ce titre n'apparaît – dans la correspondance de Proust – qu'à partir du 15 mai 1922. L'un des ajouts les plus importants qui furent apportés au récit, beaucoup plus tardif que l'insertion définitive du septuor de Vinteuil dans la soirée chez les Verdurin, est justement la mort de Bergotte, que Proust ne rédigea qu'à la fin du mois de mai 1921, après en avoir tracé les grandes lignes dans le cahier 62.

Aujourd'hui encore, il subsiste de nombreuses questions concernant le célèbre "petit pan de mur jaune avec un auvent" dont parle Bergotte : dans la *Vue de Delft*, il est effectivement plutôt difficile à repérer. Certains ont même avancé que le pan de mur en question n'existe pas, qu'il est le fruit de l'imagination débordante de Proust. Quoi qu'il en soit, lorsqu'il mourut – le samedi 18 novembre 1922 au soir –, Proust était en train de corriger avec acharnement la troisième version manuscrite de *La Prisonnière* ; il était arrivé à la page 136 et le hasard voulut qu'il fût justement en train de revoir les paragraphes cruciaux concernant la mort de Bergotte. En apparence, celle-ci se réduit à une courte digression, sans influer sur la ligne directrice du récit. Mais le thème, hautement symbolique et fascinant, autour duquel gravite la scène – le rapport dramatique et essentiel entre art et vie, création et éternité – en fait l'un des passages les plus importants de toute l'œuvre de Proust ; il ne faut donc pas s'étonner si Proust lui-même y travailla jusqu'à la fin. Cette extrême attention à l'épisode de la mort de Bergotte est encore plus émouvante si nous considérons que, comme cela arrive souvent dans la *Recherche*, le passage en question offre des résonances autobiographiques qui, pour obliques qu'elles soient, sont très frappantes. Elles sont encore plus significatives quand on sait que Bergotte meurt d'une attaque d'apoplexie, comme ce fut le cas pour Vermeer.

Les choses se passèrent plus ou moins de la façon suivante. Le 24 mai 1921, à neuf heures du matin – heure à laquelle, normalement, il se préparait à dormir –, Marcel Proust convoqua dans sa chambre à coucher Odilon Albaret, mari de sa gouvernante Céleste. Puis Proust demanda à Albaret, son chauffeur et mécanicien de confiance, de préparer le taxi et d'aller prendre Jean-Louis Vaudoyer, l'ami et critique d'art qu'il avait choisi pour l'accompagner au Jeu de paume. Odilon acquiesça et disparut au fond du couloir. Proust drapa une couverture de laine écossaise autour de sa tête, à la façon d'un turban, et relut l'article de Vaudoyer dans *L'Opinion* – un morceau magnifique, qui l'avait profondément ému. Et puis l'idée de pouvoir admirer de nouveau la *Vue de Delft* l'enthousiasmait et lui offrait un petit morceau de bonheur. Depuis qu'il avait vu ce chef-d'œuvre au Mauritshuis de La Haye – le 18 octobre 1902 –, Proust était convaincu que c'était le plus beau tableau du monde. Il se souvenait toujours, avec une joie particulière, de cet après-midi, dix-huit ans plus tôt, dernière étape d'un beau voyage en Hollande avec un ami très cher, le comte Bertrand de Salignac-Fénelon. Quelques mois plus tard, malheureusement, Fénelon l'avait privé de sa précieuse compagnie en montant à bord de l'Orient-Express à la gare de Lyon, pour prendre son poste d'attaché à l'ambassade de France, à Constantinople.

La décision de se rendre en Hollande avait été imprévue, d'autant plus que pour Marcel Proust, il n'était pas question de s'éloigner de Paris. Mais par la suite, lui et Fénelon avaient lu les pages consacrées aux anciens maîtres de la peinture hollandaise et flamande par Fromentin dans *Les Maîtres d'autrefois*, et ils étaient partis. A Amsterdam, ils avaient séjourné à l'hôtel de l'Europe, que Proust avait trouvé effroyablement cher même si, grâce au système de chauffage central, il n'avait pas eu une seule crise d'asthme pendant tout le séjour. Pour éviter de payer dix francs un déjeuner à la table d'hôte, Fénelon s'était rabattu sur des gargotes, pendant que Proust jeûnait et observait, fasciné, les mouettes qui planaient, tout en respirant l'odeur tenace de la mer, dans les rues pavées. A Delft, il avait regardé, émerveillé, les arbres dénudés par le froid, en ce pâle automne nordique, avec leurs branches défeuillées qui giflaient les miroirs suspendus aux maisons aux toits pointus*, sur les deux rives du canal. Mais l'émotion la plus forte de tout le voyage, cela va sans dire, était venue de la contemplation du tableau de Vermeer.

Après la visite au Mauritshuis, Proust était resté sans un sou en poche : il avait écrit à ses parents qu'on l'avait dévalisé et, le 20 octobre, lui et Fénelon étaient rentrés à Paris. Mais il était toujours obsédé par Vermeer, et c'est ainsi que le maître de Delft s'était retrouvé, lui aussi, dans son roman. Pourtant, lorsqu'il avait commencé à l'écrire, Proust avait nourri quelques doutes quant

* Ces miroirs avaient pour rôle d'augmenter la lumière à l'intérieur des maisons, en la reflétant. *(N.d.T.)*

au personnage qui hériterait de sa passion pour Vermeer. Au début, il avait pensé attribuer celle-ci au duc de Guermantes, mais ensuite il avait conçu la scène dans laquelle le Narrateur demande au duc s'il a admiré la *Vue de Delft*, et celui-ci lui répond, sur un ton de suffisance arrogante : "Bah, si elle était à voir, je l'aurais vue !" Parfois, les personnages vivent leur vie propre, réagissent sur la page comme s'ils étaient des personnes réelles, trahissent les intentions de l'auteur. Non : le personnage le plus indiqué pour nourrir une vénération particulière à l'égard de Vermeer n'était pas le duc de Guermantes, mais Charles Swann.

Avide d'informations concernant son œuvre préférée, Proust avait relu pour la centième fois le beau livre de Vanzype sur Vermeer, qu'il avait acheté récemment. Ce livre avait conforté une impression fugitive : la *Vue de Delft* était un tableau atypique dans la production de Vermeer qui, en général, semblait beaucoup plus intéressé par les figures féminines dans des intérieurs bourgeois. En outre, cette peinture avait disparu dans le néant pendant plus d'un siècle, entre la vente Dissius en 1696 et la vente Stinstra en 1822. C'était le roi Guillaume Ier en personne qui avait octroyé une contribution financière pour son achat, après avoir été sollicité par le directeur du Rijksmuseum ; mais une fois que l'Etat hollandais s'était assuré la possession du tableau, le roi avait décidé, à la surprise générale, qu'il serait exposé dans la collection de Sa Majesté au Mauritshuis de La Haye même si son directeur, Johan Steengracht, ne s'était pas montré enthousiaste devant cette peinture de Vermeer, qu'il trouvait insolite et trop grande.

Non content d'avoir relu le Vanzype, Proust avait appris presque par cœur les articles consacrés à l'exposition du Jeu de paume par Léon Daudet dans *L'Action française* et par Clotilde Misme dans *La Gazette des beaux-arts*. Mais c'est grâce au texte de Vaudoyer, intitulé "Le mystérieux Vermeer", qu'il s'était remémoré, une fois de plus, les détails les plus admirables de la *Vue de Delft*. La splendeur dorée du sable au premier plan. Les nuages chargés de pluie, tout en haut du ciel immense. La réverbération liquide de la porte de Schiedam et de la porte de Rotterdam, dans l'acier bleu du canal. La ville éclairée par la lumière rasante du soleil. Et, surtout, la précieuse matière du petit pan de mur jaune peint par Vermeer, avec l'habileté incroyable et le raffinement d'une œuvre d'art chinoise.

Vaudoyer lui avait beaucoup parlé de l'influence de l'Asie sur l'œuvre de Vermeer. En 1602, la Compagnie des Indes hollandaises s'était installée à Batavia, favorisant de nombreux échanges avec la mère patrie ; il ne fallait donc pas s'étonner si Vermeer avait eu l'occasion d'admirer les objets d'art indonésiens qui faisaient partie des collections privées de Delft. Lui-même avait exécuté plusieurs portraits de jeunes filles "à la mode turque", avec des turbans bariolés noués sur le front. L'oncle de Vermeer était parti deux fois pour l'Indonésie, en quête de fortune, et avait fini par s'y installer. Plusieurs artistes hollandais, comme Michael Sweerts qui était mort à Goa, s'étaient établis en Extrême-Orient. Rembrandt avait copié les miniatures mogholes. Selon Vaudoyer, dans le travail de Vermeer, il y avait justement une sorte de patience chinoise, un art d'occulter la minutie de sa propre technique qui ne se retrouvait que dans les peintures, les laques, les pierres taillées et les émaux des céramiques orientales. Ces paroles avaient frappé Proust, qui avait toujours été fasciné par la pensée et par l'art orientaux : les "chinoiseries" raffinées de Vermeer semblaient inventées exprès pour exalter son sens esthétique. Il n'y avait donc rien d'étrange dans sa brusque décision : se rendre au Jeu de paume était devenu l'un des rares désirs qu'il ne pouvait laisser insatisfaits. Dans le billet qu'il avait confié à Odilon Albaret à l'intention de Vaudoyer, il avait écrit : "Voulez-vous y emmener un mort comme moi, qui s'appuiera à votre bras ?"

Tout en attendant le retour d'Odilon et de son taxi, appartenant à l'agence de location Unic – une idée splendide, engendrée par le génie commercial des Rothschild –, Proust s'était enveloppé dans un châle et tournait nerveusement dans son appartement situé au cinquième étage, 44, rue Hamelin, où il s'était installé depuis le 1er octobre 1919. Il devait être son ultime refuge, et peut-être Proust le savait-il : c'est pourquoi il avait fait travailler les tapissiers et les électriciens jusqu'à une heure du matin, le 30 septembre, avant de se décider à en prendre possession. Sa vie était très tranquille, un peu ennuyeuse et sinistre. Elle se déroulait le long de la descente qui, depuis l'avenue Kléber, s'arrêtait à mi-chemin entre l'Arc de Triomphe et le Trocadéro. De l'autre côté de la Seine, on apercevait le gigantesque squelette métallique de la tour Eiffel. Dans la même rue habitaient une princesse, cinq marquis, six comtesses et un baron. Mme Standish vivait juste à l'angle de la rue de Belloy. Le propriétaire de l'immeuble, M. Virat, dont le nom figurait dans le Bottin mondain où il côtoyait celui des aristocrates, possédait la boulangerie au rez-de-chaussée et un château en Seine-et-Marne. L'appartement, que Proust avait partiellement meublé et qu'il se plaisait à définir comme une "tanière contenant tout juste un lit", lui coûtait seize mille francs de location par an. Dès qu'il s'était installé dans ce logement d'ermite, Proust avait offert de confortables pantoufles de feutre aux enfants qui gambadaient sans cesse dans l'appartement du dessus, afin d'éviter que le bruit insupportable de ces pas précipités ne fasse éclater son cerveau.

Parfois, contemplant la misère infinie de cet appartement, qui lui semblait si minuscule et nu, il se reprochait mentalement d'avoir vendu les meubles de ses parents : il trouvait que c'était un sacrifice inutile, absurde. Il aurait pu les garder et s'installer, pourquoi pas, à la campagne, dans une demeure beaucoup plus vaste et beaucoup plus silencieuse. Mais il était enchaîné à Paris, même si désormais il quittait de plus en plus rarement la rue Hamelin. Il était l'esclave de ses couchers de soleil et de ses fantômes, de ses drogues et de son champagne. Paris était le boulevard de sa solitude. Il lui rappelait chaque jour sa fragilité, sa désolation. Le dégoût et l'horreur pour la vie qu'il avait vécue, et pour celle qui lui restait à vivre. Et pour lui-même, s'il ne parvenait pas à transformer cet enfer et ce cauchemar en quelque chose de beau, destiné à durer.

Mais il se consolait aussi en se disant qu'après des années de tentatives vaines, il avait enfin réussi à éliminer de sa vie tout le superflu. Il devait donc remercier, justement, son indéfinissable maladie, qui l'avait contraint à mourir au monde. La maladie la plus terrible est la vie, se disait-il. S'il n'était pas tombé malade, il n'aurait probablement jamais écrit une seule ligne digne de mention. Les cent personnages et les mille idées qui peuplaient son esprit auraient disparu dans le vide cosmique de son existence. Maintenant, en revanche, dans l'appartement exigu de la rue Hamelin, il avait tout ce qui était nécessaire : le lit de cuivre de son enfance, les manuscrits amoncelés sur la table de nuit en bambou et sur la console au-dessus de la cheminée. Ses mots, ses souvenirs, ses livres, ses personnages, la solitude, la nuit.

Odilon et Vaudoyer n'arrivaient pas et, pour la troisième fois, Proust se recoucha, toujours vêtu de la tête aux pieds, sans ôter ni ses gants, ni ses chaussures, ni son manteau de fourrure (il faut dire que dans la pièce, il faisait un froid sibérien). Le craquement inattendu d'un meuble le fit sursauter. Il repensa à l'étude de Swann sur Vermeer, plusieurs fois citée çà et là, dans la *Recherche* : ne pas l'avoir écrite était un de ses plus grands regrets. Il se leva une fois de plus, retourna chercher, dans sa bibliothèque, le livre de Vanzype et se recoucha. Il le feuilleta de nouveau, page par page. Le "sphinx de Delft"... Ce n'était pas un hasard, lui semblait-il, si tous les tableaux de Vermeer n'avaient cessé de susciter des questions, dont la plupart resteraient sans réponse. Par exemple, personne n'avait jamais pu expliquer, de manière convaincante, pourquoi Vermeer haïssait tant la vieillesse. Il ne l'avait jamais représentée ; il avait même toujours évité, résolument, de peindre des personnages dont la jeunesse était un tant soit peu défleurie.

Toutefois, si Vermeer fascinait Proust à ce point, c'est parce qu'il restait l'un des peintres les plus énigmatiques, les plus ambigus et les plus hermétiques de toute l'histoire de l'art. Tout, autour du fuyant maître de Delft, apparaissait comme suspendu, étonnant, indéfini. Ineffable et secret. Dans les scènes les plus réussies de Vermeer, il n'y avait rien d'explicite, rien de définissable. L'atmosphère intime, l'abstraction réticente des œuvres de Vermeer laissaient la porte ouverte à toutes les interprétations, à toutes les lectures, mais aussi à toutes les erreurs et à toutes les mystifications. Certains critiques, et Vanzype lui-même, soutenaient, par exemple, que plusieurs œuvres généralement attribuées à la jeunesse de Vermeer – *L'Entremetteuse*, la *Jeune fille endormie*, *Le Soldat et la Jeune Fille souriant*, *La Dame buvant avec un gentilhomme* et *La Dame avec deux gentilshommes* –, datées d'entre 1654 et 1660, ne représentaient pas seulement des scènes galantes, mais avaient pour sujet l'amour vénal et se situaient, en fait, dans des bordels bien meublés et élégants. Un choix plutôt singulier pour un peintre apparemment aussi sobre, modeste et frugal, qui venait de se marier et qui s'apprêtait à procréer de nombreux enfants.

Il se replongea dans la lecture du livre de Vanzype. Proust était totalement d'accord avec l'auteur lorsqu'il soutenait que Vermeer était un génie de l'application, et que sa force résidait dans sa virtuosité à réaliser les détails, dans sa précision d'orfèvre et dans l'admirable luminosité de ses couleurs. Toutefois, Proust aurait ajouté autre chose : la conscience, selon lui très claire chez Vermeer, que l'élan créateur naît de la contemplation du monde, du réalisme de la vision et non de la banale reproduction des faits.

Dans les plus belles peintures de Vermeer, ce qui le frappait le plus, c'était le caractère insaisissable de la signification et la théâtralité de la composition. Et en même temps, c'était comme si les scènes emblématiques du maître de Delft étaient observées par un trou de serrure, peut-être parce que Vermeer s'était servi de la *camera obscura*, ou du télescope à l'envers. En tout cas, le peintre qui avait fixé ces scènes sur la toile faisait penser, d'une certaine manière, à un espion.

Un passage du livre de Vanzype frappait Proust tout particulièrement, chaque fois qu'il le relisait. Vanzype évoquait le parcours obscur qu'avait constitué la jeunesse de Vermeer. Plus précisément, l'une des toiles les plus controversées du peintre à ses débuts : *Le Christ chez Marthe et Marie*. Aux yeux de Proust, ce tableau était toujours apparu comme l'œuvre la plus révélatrice de la première époque de Vermeer, sur le plan psychologique. Marthe y est représentée en train d'apporter sur la table une corbeille de pain, pendant que Marie est assise aux pieds du Christ, dans une attitude d'écoute pleine de dévotion. Vermeer représente le moment qui suit la question de Marthe : "Seigneur, cela ne te fait rien que ma sœur me laisse servir toute seule ? Dis-lui donc de m'aider." Jésus est immortalisé alors qu'il lui répond, tout en désignant Marie : "Marthe, Marthe, tu te soucies et t'agites pour beaucoup de choses ; pourtant il en faut peu, une seule même. C'est Marie qui a choisi la meilleure part ; elle ne lui sera pas enlevée." (Evangile selon saint Luc, X, 40-42.)

Selon Vanzype, le parallélisme entre cet épisode biblique et les circonstances de la vie familiale de Vermeer était extrêmement frappant.

L'artiste avait été élevé dans une maison où la mère et la sœur étaient accablées par les soins du ménage, comme saint Luc le dit de Marthe. Le jeune Joannis, né de parents d'âge mûr, avait été dispensé du travail quotidien pour pouvoir cultiver son talent. Il ne faut donc pas s'étonner si Vermeer avait transposé sa situation familiale privilégiée dans un tableau où le Christ apparaît entouré de femmes en adoration, symbole d'une vie contemplative – la vie de l'intellect et de l'art – qui, aux yeux du jeune Vermeer, devait sembler beaucoup plus désirable que celle, épuisante et frénétique, d'un aubergiste comme son père Reynier, dont la malheureuse épouse était contrainte à jouer le rôle de servante.

Proust jugeait cette thèse très intéressante, même si elle était discutable ; il avait parfois songé à la mettre au centre de la fameuse étude biographique et artistique de Swann sur Vermeer. Il avait pris quelques notes, dans lesquelles il taxait de psychologisme excessif les interprétations comme celles de Vanzype. Proust n'était absolument pas sûr qu'un génie, même jeune, et de surcroît un génie du suspens et de l'ambiguïté comme Vermeer, se serait représenté lui-même sous les traits du Christ. Il trouvait que c'était une idée banale. Evidente, prévisible. Il se serait plutôt représenté sous les traits de Marie, car c'est elle qui représente la vie contemplative opposée à la vie active, symbolisée par Marthe. Marie a choisi l'unique chose nécessaire, la meilleure part (l'art), qui ne lui sera jamais ôtée. C'est une femme qui a décidé de servir son idéal, de se consacrer à son œuvre, de sacrifier sa vie à son devoir. Tout comme Vermeer de Delft – et comme Proust lui-même, évidemment.

Mais malheureusement, Proust n'avait jamais réussi à ébaucher l'étude de Swann sur Vermeer. Il avait réfléchi bien des fois sur le peu qu'il avait réussi à écrire, sur ces brèves allusions au sujet. *Mais, quand Odette était partie, Swann souriait en pensant qu'elle lui avait dit combien le temps lui durerait jusqu'à ce qu'il lui permît de revenir ; il se rappelait l'air inquiet, timide, avec lequel elle l'avait une fois prié que ce ne fût pas dans trop longtemps, et les regards qu'elle avait eus à ce moment-là, fixés sur lui en une imploration craintive, et qui la faisaient touchante sous le bouquet de fleurs artificielles fixées devant son chapeau rond de paille blanche, à brides de velours noir. "Et vous, avait-elle dit, vous ne viendriez pas une fois chez moi prendre le thé ?" Il avait allégué des travaux en train, une étude – en réalité abandonnée depuis des années – sur Ver Meer de Delft. "Je comprends que je ne peux rien faire, moi chétive, à côté de grands savants comme vous autres, lui avait-elle répondu. Je serais comme la grenouille devant l'aréopage. Et pourtant j'aimerais tant m'instruire, savoir, être initiée. Comme cela doit être amusant de bouquiner, de fourrer son nez dans de vieux papiers !" avait-elle ajouté avec l'air de contentement de soi-même que prend une femme élégante pour affirmer que sa joie est de se livrer sans crainte de se salir à une besogne malpropre, comme de faire la cuisine en "mettant elle-même la main à la pâte". "Vous allez vous moquer de moi, ce peintre qui vous empêche de me voir (elle voulait parler de Ver Meer), je n'avais jamais entendu parler de lui ; vit-il encore ? Est-ce qu'on peut voir de ses œuvres à Paris, pour que je puisse me représenter ce que vous aimez, deviner un peu ce qu'il y a sous ce grand front qui travaille tant, dans cette tête qu'on sent toujours en train de réfléchir, me dire : Voilà, c'est à cela qu'il est en train de penser. Quel rêve ce serait d'être mêlée à vos travaux !"*

Mais ce qui le tourmentait depuis des années, c'était le second passage, entièrement souligné au crayon, sur le vieux tiré à part de *Du côté de chez Swann*, celui qui portait la dédicace de Grasset. *Certains jours pourtant, mais rares, elle venait chez lui dans l'après-midi, interrompre sa rêverie ou cette étude sur Ver Meer à laquelle il s'était remis dernièrement. On venait lui dire que Mme de Crécy était dans son petit salon. Il allait l'y retrouver, et quand il ouvrait la porte, au visage rosé d'Odette, dès qu'elle avait aperçu Swann, venait – changeant la forme de sa bouche, le regard de ses yeux, le modelé de ses joues – se mélanger un sourire. (...) Il se rendait bien compte qu'elle n'était pas intelligente. En lui disant qu'elle aimerait tant qu'il lui parlât de grands poètes, elle s'était imaginé qu'elle allait connaître tout de suite des couplets héroïques et romanesques dans le genre de ceux du vicomte de Borelli, en plus émouvant encore. Pour Ver Meer de Delft, elle lui demanda s'il avait souffert par une femme, si c'était une femme qui l'avait inspiré, et Swann lui ayant avoué qu'on n'en savait rien, elle s'était désintéressée de ce peintre.*

Une femme... Vanzype écrivait que les femmes, dans les œuvres de jeunesse de Vermeer, étaient des prostituées, des entremetteuses, des servantes qui buvaient, des femmes adultères, des jeunes filles séduites par des officiers. Proust était désormais convaincu que Vermeer, mis à part le respect dû à l'iconographie courante, avait fait ce choix pour parler indirectement de lui-même. Pour travailler à une sorte d'autobiographie oblique, pour peindre le reflet d'un moi enseveli, obscur et secret. Tout comme il le faisait lui-même, habituellement, avec les personnages de son livre – et avec le Narrateur, Marcel. En littérature, cela s'appelait le "principe de transposition". Mais la peinture aussi est un art combinatoire. Analogique, métaphorique. Allusif et symbolique, comme la psychologie.

Pendant des années, Proust avait désiré que Swann écrive quelque chose sur Vermeer, n'importe quoi. Au début, à vrai dire, il pensait à un essai d'histoire de l'art traditionnel, puis, peu à peu, il avait changé d'avis et avait même envisagé l'hypothèse d'un texte narratif. Mais, comme l'avait deviné à juste titre la peu intelligente Odette, il devait y avoir une femme, dans cette histoire. Il était vraiment impossible d'écrire quelque chose d'intéressant, du point de vue romanesque, en faisant abstraction d'une présence féminine. Cette femme-là, pourtant, il n'avait jamais réussi à l'imaginer.

Brusquement, un coup de tonnerre retentit, tel un coup de feu. Proust sursauta et cessa de rêver les yeux ouverts. Il était de nouveau rue Hamelin, le matin du 24 mai 1921. Un orage avait éclaté, et Paris était balayé par un vent qui soufflait en tempête. L'attente était exaspérante, mais en réalité Odilon Albaret était parti depuis moins d'une heure et demie. Proust frissonna et fut pris d'une série d'éternuements sinistres. Il avait toujours la gorge en feu, une toux incessante et un rhume perpétuel, horrible, qui menaçait de dégénérer en pneumonie. Des pneumocoques, probablement. Il toussait trois mille fois par jour – et, de plus, cette torture le faisait ruisseler de sueur. Désormais, tous ses vêtements dégageaient une odeur âcre et désagréable. Il s'agita sous les couvertures, s'enveloppa péniblement la tête dans un châle et un plaid. Il s'était brûlé l'estomac en prenant par erreur de l'adrénaline à sec ; et depuis qu'il ne mangeait qu'un peu de fruits, d'asperges et de pommes de terre, et ne buvait qu'un peu de lait et quelques verres de bière glacée, il était d'une faiblesse extrême. L'insomnie le détruisait ; mais les rares fois où il arrivait à s'endormir, il était tourmenté par des cauchemars si effrayants que, pendant quelques jours, il s'efforçait de ne pas s'endormir. Il avait des crises d'asthme de plus en plus violentes, souffrait de vertiges terribles qui lui faisaient constamment perdre l'équilibre. Lorsqu'il se hasardait à quitter son lit, tout tournait autour de lui, et il s'écroulait.

Sa mémoire était un mur qui le protégeait de l'invasion du néant, mais elle donnait des signes de désagrégation, et il n'arrivait même plus à articuler correctement les mots. Les médecins lui reprochaient, à juste titre, l'abus alterné de narcotiques et de stimulants, et stigmatisaient l'étrange habitude qu'il avait de collectionner les notices contenues dans les boîtes de médicaments. Mais c'étaient là des détails. La triste vérité, c'était que Proust savait très bien qu'il était affecté, comme son personnage Bergotte, d'une grave urémie chronique : une altération du métabolisme dont la cause n'était pas une maladie rénale, mais un dysfonctionnement mal identifié du système nerveux central, peut-être provoqué, justement, par les drogues. En outre, il sentait qu'il serait bientôt atteint d'un abcès au poumon, et que cela provoquerait une septicémie. Il faut savoir qu'il refuserait les stupides injections d'huile de camphre que le docteur Bize tenterait de lui administrer ; il ferait acheter les médicaments prescrits, mais n'en prendrait aucun.

Certes, sa maladie était favorisée par les fissures dans le conduit de cheminée de l'appartement, qui laissaient entrer des vapeurs de monoxyde de carbone, au risque de l'empoisonner. Et donc, même s'il n'existait probablement personne de plus frileux que lui, il avait ordonné à Céleste de n'allumer le feu sous aucun prétexte : sa chambre à coucher devait être aussi glaciale qu'un sépulcre. De toute façon, bientôt, plus personne ne mettrait les pieds chez lui : ni médecins, ni infirmières, ni proches, pas même son frère Robert qui voulait le faire hospitaliser à la clinique Piccioni. S'il ne dormait plus, c'était aussi parce qu'il craignait que les infirmiers de la clinique se présentent à l'improviste rue Hamelin pour l'emmener de force. Non, plus personne là-dedans, à l'exception de Céleste. Elle était toujours là, plantée à son chevet. Rigide, sombre, livide comme un fantôme enchaîné au seuil de cette chambre. Un exemple absolu, un avertissement pour tous. Elle était la seule personne au monde capable de le comprendre, et avait pour ordre de ne jamais le laisser seul, ne fût-ce qu'un instant. Il continuerait à vivre ainsi jusqu'à la fin et à s'occuper de tout, des épreuves de ses livres – un travail infernal – et des réactions de la presse. Il exigerait même que Gallimard, son insaisissable éditeur, prenne soin de faire citer les articles élogieux dans les rubriques littéraires des autres journaux. Entretemps, Céleste devait tenir à distance tous ceux qui voulaient l'empêcher de travailler jusqu'au bout, de mener à bien sa tâche. De continuer à vivre.

Odilon Albaret et Jean-Louis Vaudoyer arrivèrent à onze heures. Ils se matérialisèrent à l'improviste, derrière les rideaux bleu ciel du lit, qui cachaient la porte de la chambre. Vaudoyer offrit à Proust une boîte de chocolats de chez Boissier. Odilon, impeccable dans son imperméable luisant, en toile grise, enleva son béret et lui tendit une glace qu'il venait d'acheter au Ritz. Une fois de plus, Proust fut frappé par l'air mélancolique et romantique de Vaudoyer, mais surtout par ses moustaches tombantes et flasques. Quant à Vaudoyer, l'aspect dolent et presque macabre de Proust lui rappela l'époque où ils allaient ensemble à l'Opéra – avec Reynaldo Hahn, Cocteau et Robert de Montesquiou – pour suivre les Ballets russes de Diaghilev. A la lumière artificielle, Marcel Proust, petit et plein de mollesse, l'avait effrayé, avec ce visage désormais difforme, ces yeux bovins cernés de noir et cette fourrure qu'il portait, en plein mois de mai.

Proust, la voix réduite à un chuchotement, s'excusa et dit qu'il devait avoir l'air d'un gardénia fané. Puis il se leva du lit, avec précaution, et tendit à Vaudoyer une main énorme, spongieuse. Vaudoyer observa ce visage blanc et hâve, encadré d'une barbe noire, les cheveux trop longs et les yeux hébétés qui fixaient le vide, ou peut-être quelque chose que seul Proust pouvait voir. Puis il accepta de feuilleter avec lui le livre de Gustave Vanzype, *Jan Vermeer de Delft*, avec trente et une belles reproductions des chefs-d'œuvre du maître hollandais. Il s'aperçut que Proust commençait, automatiquement, à mémoriser les détails qui pouvaient lui être utiles pour écrire la scène de la mort de Bergotte à l'exposition du Jeu de paume, scène dont il lui avait déjà parlé, qu'il désirait à tout prix inclure dans son roman et qui lui semblait déjà claire, dans son esprit. Proust lui expliqua que Bergotte, l'écrivain, visiterait lui aussi l'exposition du Jeu de paume, celle où il s'apprêtait à se rendre avec Vaudoyer, ce jour-là. Et c'est là qu'il mourrait d'une attaque d'apoplexie, après avoir admiré la *Vue de Delft* de Vermeer.

Vaudoyer crut comprendre que, d'une manière métaphorique, l'histoire de la mort de Bergotte racontait celle, désormais imminente, de son auteur. Alors que Vermeer était le modèle occulte de sa vie, ou tout au moins de la vie que Proust aurait voulu vivre et qu'il n'avait vécue qu'en partie – solitaire et féconde, modeste mais éclatante, bien vécue, dans l'exercice ascétique de l'art. Mais avant – pour écrire cette scène essentielle –, Proust éprouvait curieusement le besoin de se rendre vraiment à cette exposition. Vaudoyer, circonspect et feutré, lui demanda si les médecins ne lui avaient pas, par hasard, prescrit du repos. Pour toute réponse, Proust soupira, posa le livre de Vanzype sur le lit, saisit son chapeau, jeta une fourrure sur ses épaules, ouvrit la porte et s'engagea dans l'escalier, d'un pas décidé. Il ne voulait pas être traité comme certains vieillards qui, après s'être fracturé le col du fémur, traînent une existence passive et amorphe, qui n'est que l'anticipation, plus ou moins longue, d'une mort inéluctable.

Après la première marche, Proust fut pris de vertiges. Il s'affaissa sur la rampe, foudroyé, puis s'effondra sur le sol, avec un râle. Il tenta de se relever mais resta assis, les jambes repliées sous lui. Vaudoyer se précipita pour l'aider à se remettre debout, mais Odilon Albaret fut plus rapide. Lorsqu'il eut réussi à remettre Proust en position verticale, le chauffeur lui demanda s'il voulait que Céleste lui fasse une injection d'adrénaline. Proust secoua la tête, roula des pupilles déjà dilatées par la drogue, tendit son bras à Vaudoyer et se remit à descendre l'escalier, avec une lenteur exaspérante. Il vacillait, haletait de manière effrayante. Cela faisait quinze ans que, chaque jour, il annonçait à ses amis sa mort imminente. Désormais, plus personne n'y croyait, sauf lui.

Non, pas d'adrénaline. La journée qu'il se préparait à affronter serait dédiée à la contemplation. Et au salut, car seul l'art peut nous sauver du chaos, du gâchis et de la misère. C'est pourquoi le futur n'existait plus. Le monde n'existait plus. La vie réelle n'existait plus. Désormais il n'y avait plus que le livre, beaucoup plus vrai que la réalité. Car la vie réelle est beaucoup moins bien construite qu'un bon roman. Dans la vie réelle de Marcel Proust, désormais, tout était factice, il n'y avait plus personne, plus rien. Dans la grisaille spectrale de son existence, il n'y avait que l'art, seul l'art existait encore – et l'art est une tentative dont l'homme dispose pour s'approprier le monde et lui-même, à travers l'image qu'il saura en donner. Il devait juste achever son œuvre – corriger, améliorer, polir, retoucher. Il fallait plus de minutie, plus de raffinement. Comme Vermeer, il devait étendre plusieurs couches de couleur, s'il voulait rendre ses phrases plus précieuses. La lecture des épreuves, les ajouts et les corrections l'épuisaient, mais ce travail était sa seule raison de vivre, le seul remède à ses maux. Même s'il n'avait plus peur de l'asthme et s'il avait vaincu ses pires ennemis : l'indolence, la frivolité. Le manque de volonté. Il était devenu indifférent à tout ; il n'aspirait qu'à la fin de son livre, puis au repos, le grand repos qui ne tarderait pas à venir.

Mais pas aujourd'hui, pas encore. Aujourd'hui mourrait Bergotte, un des personnages de son livre. Une partie de lui-même. C'est ennuyeux de mourir plusieurs fois. Pour Marcel Proust, au contraire, ce serait aussi un jour de bonheur – le dernier, peut-être. Un jour consacré au plus beau tableau du monde, et à un grand artiste sur lequel il parviendrait enfin à écrire – et à qui ses pages, un jour, ouvriraient le chemin de l'immortalité. Mais qui aurait peut-être préféré, quant à lui, demeurer à jamais inconnu, à peine identifié sous le nom de Vermeer.

X

Le choix le plus important auquel VM fut confronté, afin de mener à bien son incroyable plan, concernait le sujet du faux à réaliser. Tout le dilemme était là, c'était le point essentiel à résoudre : une fois décidé qu'il ne peindrait pas un Vermeer typique, mais qu'il créerait un Vermeer totalement nouveau, quel type de Vermeer réaliserait-il ? Après plus de deux siècles d'oubli, le maître de Delft était devenu une étoile de première grandeur dans le firmament de l'art. Et donc chaque découverte nouvelle, au lieu d'éveiller les soupçons, ne pourrait que susciter l'enthousiasme. Retrouver un Vermeer disparu était devenu, peu à peu, une véritable obsession pour les critiques et les collectionneurs. Mais la question était : quel Vermeer ? Le Vermeer le plus célèbre était le peintre de genre, le maître des intérieurs avec figures féminines, le meilleur interprète de la manière bourgeoise. *Le Collier de perles, La Dame et sa servante, Liseuse en bleu* : c'étaient là les sujets classiques de Vermeer. Leur force, pourtant, ne tenait certes pas à l'invention, car ces sujets n'avaient rien d'original, et donc ne présentaient aucune nouveauté particulière.

Les motifs et les thèmes des tableaux de Vermeer sont rigoureusement les mêmes que ceux de ses contemporains Terborch, De Hooch, Dou, Maes, Metsu et Van Mieris. Comme l'écrivait Vincent Van Gogh à son frère Théo en août 1888, Vermeer – semblable en cela aux autres peintres hollandais – "n'a pas d'imagination, mais un goût extraordinaire et un sens infaillible de la composition". A part les deux tableaux qui représentent Delft, et quelques portraits, les peintures de Vermeer montrent des personnages situés dans des pièces très similaires, occupés à des travaux domestiques, à faire de la musique, à lire et à écrire des lettres. Scènes déjà largement exploitées par les contemporains de Vermeer, pures formules que le maître transcende de manière géniale, tout comme il sait renouveler et transcender ses sources ; même s'il accepte de reproduire les schémas courants, il atteint une qualité stylistique infiniment supérieure à celle de ses contemporains, pour tenter de résoudre le problème du *contenu* de ses peintures (et donc de leur commercialisation).

L'aspect vraiment original et révolutionnaire du Vermeer "de genre" tient au détachement émotionnel des personnages et à l'élimination quasi totale des détails superflus, répétitifs et banals – plus qu'à l'histoire elle-même, réduite à une allusion elliptique. L'irréalité onirique des compositions géométriques contraste avec la quotidienneté apparente des scènes : idylles contrariées que Vermeer construit à travers la perfection de l'image, exquise et éclatante, comme dans la célèbre *Lettre* ; tableau qui, soit dit en passant, a une histoire plutôt rocambolesque. Il fait d'abord partie de la collection Beit et se retrouve à Blessington, en Irlande, dans la Russborough House, puis est volé deux fois en trente ans : en 1974, par des militants de l'IRA (récupéré au bout d'une semaine), et le 21 mai 1986 par des malfaiteurs, à Dublin. Après deux ans de tractations secrètes et d'enquête internationale, le tableau est récupéré définitivement le 1er septembre 1993, à l'aéroport de Deurne, en Belgique. C'est l'un des deux tableaux (avec *La Joueuse de guitare*, également volé en 1974, puis retrouvé enveloppé dans du papier journal, dans une église de Londres) que la veuve de Vermeer cède au boulanger Van Buyten, le 27 janvier 1676, pour solder une dette de six cent dix-sept florins.

Dans le tableau quasi jumeau, *La Dame et sa servante* de la collection Frick, à New York, l'effet des silhouettes, qui se détachent sur un fond sombre et uniforme, est inoubliable. La dame, qui porte la célèbre liseuse de satin jaune bordée d'hermine, citée dans l'inventaire posthume du peintre (liseuse qui figure dans cinq autres tableaux du maître de Delft), est sûrement l'une des images marquantes de Vermeer. Une invention lumineuse qui se grave pour toujours dans la mémoire, grâce au geste de la main droite posée sur la feuille de papier, la plume tenue entre le pouce et l'index, la main gauche tendue, effleurant le menton, le filet pointillé qui orne le chignon – éclair visuel qui jaillit des ténèbres menaçantes du fond.

Nulle tentative grossière pour susciter l'étonnement de l'observateur, chez Vermeer, mais un travail intense de maîtrise et de précision, dans la composition. Peintre vigilant et méticuleux, il accorde une grande attention à la perspective, qu'il construit de manière surprenante, suivant une méthode des plus empiriques, également adoptée par des artistes comme De Hooch, Dou et Metsu. Sur la toile déjà traitée, à l'emplacement du point de fuite, il plante une épingle à laquelle est attachée une ficelle imprégnée de plâtre, qui lui sert à obtenir des lignes orthogonales correctes (dans l'*Allégorie de la foi*, aujourd'hui encore, le trou de l'épingle est visible à l'œil nu). S'il procède ainsi, c'est qu'en sublimant la surface des choses qu'il voit, Vermeer crée son propre univers, hyperréaliste et donc imaginaire, le monde impalpable et irrationnel de la vision ; un monde transfiguré par l'incroyable clarté et l'harmonie des couleurs.

L'action est réduite au minimum – suspendue, ambiguë, indéfinie. La signification est imperceptible, incertaine. Le point de fuite du tableau est presque toujours placé derrière une sorte de barrière dressée entre l'observateur et la scène. Les carreaux du sol, toujours dessinés diagonalement, confèrent à la représentation une aura hypnotique. Les images sont classiques, pleines de noblesse, et évoquent le rêve d'un temps suspendu dans la sphère enchantée du silence, dépouillé et purifié de toute scorie, où la vie quotidienne prend la forme de l'éternité. Vermeer est inégalable dans sa manière de rendre atemporel le reflet miraculeux d'un instant : un de ses plus beaux tableaux, la *Liseuse en bleu*, en est un parfait témoignage. C'est peut-être la plus admirable des œuvres de Vermeer qui montrent une figure féminine solitaire, occupée à une action très simple, et totalement plongée dans ses pensées.

Symphonie délicate autour d'une seule couleur, ce tableau sublime semble presque suggérer l'idée que le maître de Delft aimait par-dessus tout une entité immatérielle : une couleur, justement. Le bleu. Peut-être était-ce pour Vermeer le symbole de quelque chose de plus grand, une sorte de message chiffré. Allez savoir. En tout cas, dans la *Liseuse en bleu*, Vermeer, autour de sa couleur favorite, orchestre sa composition la plus raffinée. Sobre, presque dépouillée, sans tapis à demi soulevés, sans même l'habituelle fenêtre à vitrages sertis au plomb, dans le mur gauche de la pièce. La table et les chaises sont des objets secondaires ; seule se détache la grande carte géographique suspendue au mur – une version moins précise que celle du *Soldat et la Jeune Fille souriant* –, la carte de la Hollande et de la Frise occidentale dessinée en 1620 par Balthasar Floriszoon Van Berckenrode et publiée, quelques années plus tard, par Willem Janszoon Blaeu.

La silhouette de la femme, sous la liseuse, est majestueuse, imposante, presque corpulente. Peut-être est-elle enceinte. Le premier à le soutenir, par ailleurs, fut toujours Vincent Van Gogh dans une lettre à Emile Bernard, en 1888. Le visage ressemble beaucoup à celui de la *Liseuse*, qui constitue lui aussi l'un des tableaux les plus enchanteurs, mélancoliques et rêveurs de Vermeer. Mais dans la *Liseuse en bleu*, l'expression est encore plus en suspens, comme soulagée d'une angoisse indéchiffrable, alors que les mains qui tiennent le feuillet trahissent une tension latente. Peut-être parce que la lettre est arrivée de manière inattendue : pour la lire, la femme a interrompu sa toilette et déposé ses perles sur la table où elles gisent, partiellement couvertes par un autre feuillet de la lettre.

La *Liseuse en bleu* est l'une des peintures qui nous communiquent le mieux le secret de l'art de Vermeer. Un secret que les amateurs de ses œuvres parviennent à deviner, mais jamais à comprendre vraiment. C'est pour cette raison que le mystérieux Vermeer revit tous les jours. Plus de deux siècles après sa mort, s'il nous touche et nous émeut autant, c'est que, peut-être, ses toiles évoquent le regret, l'amour impossible, la solitude. Parce que ses figures, énigmatiques et silencieuses, sont des images oniriques de la beauté, de la passion, de l'éternité : de ce que tout le monde, confusément et inconsciemment, cherche sans jamais parvenir à le trouver.

Dans les tableaux de Vermeer, si la conclusion reste ouverte, l'énigme se transforme en lumière. Et ainsi, ces scènes quasi immobiles, apparemment inexpressives – une cage métaphysique de modération et de discipline, délicat équilibre et vague mélancolie –, ont fini par coïncider avec le goût des modernes, habitués à la difficile interprétation des sentiments. Outre le primat de l'esthétique, l'absence de commentaire ou de message, la tension psychologique contenue, Vermeer est moderne à cause du doute subtil qu'il insinue dans la réalité, sous une absence totale d'emphase, sous l'obsédante précision des détails. C'est cela qui, uni à la merveilleuse qualité esthétique des images et des couleurs, a fait, à la longue, du Vermeer "bourgeois" le peintre le plus à la mode au XXe siècle.

Mais comme VM le savait très bien, il existait un autre Vermeer ; certes, il était moins connu du public des amateurs d'art, mais l'influente tribu des experts l'appréciait. Au début du XXe siècle, en effet, une idée commença à se répandre, parmi les spécialistes de Vermeer : le maître de Delft, dans sa jeunesse, aurait été un peintre d'"histoires", influencé par l'art italien. Au fil des ans, cette théorie se renforça de plus en plus, jusqu'à triompher, et l'on jugea évident que les quatre peintures sur lesquelles elle se fondait – *Diane et ses nymphes, Sainte Praxède, L'Entremetteuse* et *Le Christ chez Marthe et Marie* – devaient être attribuées sans hésitation à la main de Vermeer. Parfois, pour accréditer la thèse d'un jeune Vermeer "narratif" – thèse très séduisante, mais qu'aucunes archives ne venaient confirmer –, on se réfère à certains choix bibliques opérés par le maître de Delft pour les fonds de ses tableaux, comme le *Moïse sauvé des eaux* qui figure dans *La Lettre*. La thèse, très astucieuse, était qu'il pouvait s'agir de reproductions de peintures de jeunesse, quand Vermeer était encore un peintre d'"histoires" ; il les aurait réalisées avant d'opter pour sa nouvelle manière, élégante et bourgeoise, et les réutilisait à titre d'autocitations, un peu comme un écrivain inclut des extraits d'un livre ancien, jamais publié, dans un ouvrage postérieur.

On citait aussi deux œuvres perdues du maître de Delft. La première, *Jupiter, Vénus et Mercure*, fut vendue en 1761 en même temps que le patrimoine d'un aristocrate de Delft, Gerard Van Berckel. La seconde fut décrite comme *Une personne en visite sur une tombe* et attribuée à Van der Meer, dans l'inventaire patrimonial du marchand de tableaux Johannes De Renialme, effectué à Amsterdam le 27 juin 1657. De Renialme était connu pour ses voyages continuels entre Amsterdam et Delft. Il avait procédé à la vente de quelques œuvres de Rembrandt, et avait réussi à vendre *Le Christ et la Femme adultère* mille six cents florins. Il possédait des peintures de Jacopo Bassano, du Tintoret et du Titien – les artistes italiens que le jeune Vermeer admirait sûrement mais par lesquels, selon toute probabilité, il avait décidé de ne pas se laisser influencer. D'éminents spécialistes de Vermeer, comme Blankert et Montias, se réfèrent à ce tableau disparu qu'ils appellent *La Visite des trois saintes femmes au tombeau du Christ*, et soutiennent que le prix payé par De Renialme – vingt florins – était assez élevé pour un jeune peintre, encore peu connu. En réalité, vingt florins représentaient un chiffre plutôt bas et, de toute façon, rien ne prouve que le Vermeer en question était bien celui de Delft.

Outre les quatre tableaux cités plus haut, il faut rappeler que moins de dix-huit ont été tour à tour, de manière plus ou moins erronée, attribués à Vermeer. Les plus connus sont indéniablement deux Vermeer "américains" (en réalité, peut-être, français), la *Jeune fille au chapeau rouge* et la *Joueuse de flûte*. Le premier fut vendu aux enchères à Paris, en 1822, pour la somme de deux cents francs. Il appartint à la collection du baron Atthalin, puis à la galerie d'art Knoedler & Co. de New York, enfin au célèbre collectionneur et banquier Andrew Mellon, ministre du Trésor sous trois présidents américains. Mellon l'acheta 290 000 dollars et comptait l'exposer sur un piano, dans sa résidence pharaonique de Massachusetts Avenue, à Washington. En 1937, il décida de le céder à la National Gallery, qu'il avait lui-même fondée. Peint sur un panneau de bois – et non sur une toile comme toutes les autres œuvres authentiques de Vermeer –, il fut exécuté, comme nous l'avons vu, au dos d'un portrait d'homme dans le style de Rembrandt, un personnage à la chevelure abondante et lisse, coiffé d'un chapeau à larges bords. Alors que l'un des plus grands experts vermeeriens, Arthur Wheelock Jr., le considère toujours comme authentique (et attribue à Carel Fabritius le portrait sur l'envers), Albert Blankert, expert tout aussi autorisé, juge qu'il s'agit d'un faux réalisé en France au début du XIXe siècle. Tout comme *La Joueuse de flûte*, également peinte sur bois, remarquée par l'omniprésent Abraham Bredius dans la collection De Gretz à Bruxelles et exposée au Mauritshuis de La Haye entre 1906 et 1907. Remanié et modifié à plusieurs reprises (il est probable que dans la version originale, la flûte n'existait pas), ce tableau fut vendu au marchand d'œuvres d'art parisien Jonas pour vingt-cinq mille florins par la veuve De Gretz, qui, pour l'acheter, en avait déboursé trente-quatre. Il fit ensuite partie de la collection August Janssen d'Amsterdam, passa en 1919 à la galerie Goudstikker, puis à la Knoedler & Co., avant d'être acheté par Joseph Widener qui, en 1942, en fit don à la National Gallery de Washington.

Les quatre peintures se rattachant à la présumée “manière narrative” de Vermeer ont toutes été découvertes plutôt récemment, entre 1741 *(L'Entremetteuse)* et 1943 *(Sainte Praxède)* ; elles n'apparaissent dans aucun document ou catalogue de vente du XVIIe siècle. D'une grande hétérogénéité, elles pourraient avoir été réalisées par quatre mains différentes, puis rapprochées uniquement par les signatures, toutes exécutées avec une graphie spécifique et (sauf pour l'une d'entre elles, peut-être) visiblement ajoutées à une époque plus tardive.

Diane et ses nymphes figura dans la galerie Dirksen de La Haye – où elle fut achetée par N. D. Goldsmid pour cent soixante-quinze florins, en tant qu'œuvre attribuée à Nicolaes Maes, puisqu'elle portait la signature de ce dernier, élève de Rembrandt, admirateur de De Hooch et spécialiste en portraits, ainsi qu'en intérieurs avec personnages féminins. Par la suite, l'Etat hollandais acheta le tableau pour le Mauritshuis, pour le prix de dix mille francs. Catalogué comme un Vermeer probable en 1883, il fut de nouveau considéré comme une œuvre de Nicolaes Maes, puis de Jan Vermeer d'Utrecht et fut – à partir de 1901 – définitivement attribué à Vermeer de Delft.

Sainte Praxède fut découverte en 1943 dans une petite salle des ventes de New York par un réfugié belge, le marchand de tableaux Jacob Reder. A la mort de ce dernier, sa veuve décida de vendre le tableau à un marchand de New York, qui s'installa, par la suite, à Los Angeles. Après quoi, en 1990, la toile fut acquise par la collection Barbara Piasecka Johnson de Princeton. Copie d'un tableau de Felice Ficherelli (1605-autour de 1669), datable environ de 1654, cette peinture – très différente, elle aussi, de toutes les autres toiles attribuées sans aucun doute à Vermeer – fut probablement exécutée par un artiste du Nord qui tentait d'imiter fidèlement l'original florentin. La seule différence notable est le crucifix d'or entre les mains de la sainte, peut-être ajouté à la demande de l'église ou du couvent qui avait commandité la copie.

L'Entremetteuse de la Staatlische Gemäldegalerie de Dresde faisait partie de la collection Wallenstein et passa à celle de l'électeur de Saxe en 1741. Dans le catalogue de Dresde de 1765, elle fut désignée comme étant l'œuvre d'un certain

Jean Van der Meer, dans celui de 1782, comme une peinture de Van der Meer de Haarlem et, dans celui de 1826, de Jacques Van der Meer d'Utrecht. C'est Thoré-Bürger qui en fit un Vermeer de Delft en 1860, et rien ne prouve qu'il ne le soit pas (signature et date – 1656 – sont anciennes). Ce qui est sûr, c'est que la *Courtisane* peinte par le caravagiste Dirck Van Baburen en 1622 était devenue propriété de la belle-mère de Vermeer ; ce dernier la conserva dans sa boutique de marchand et la reproduisit comme élément décoratif sur le fond de deux peintures, *Le Concert à trois* et la *Dame assise à l'épinette*. Mais, plus que la peinture de Van Baburen, avec laquelle elle n'a de commun que le geste du jeune homme offrant à la jeune fille une pièce de monnaie, cette *Courtisane* présente des points communs avec le style de Nicolaes Maes et de Frans Van Mieris ; afin de l'admirer, Pierre Auguste Renoir affronta un voyage exténuant en Allemagne.

Le Christ chez Marthe et Marie surgit quasiment du néant en 1900, lorsqu'un antiquaire anglais l'acheta à la famille Abbott de Bristol, pour le prix de huit livres sterling. Le tableau fut ensuite exposé en avril 1901 par les marchands d'œuvres d'art Forbes & Paterson, portant le numéro un du catalogue – dans lequel on citait son propriétaire, M. W. A. Coats, un industriel écossais qui travaillait dans le textile. C'est seulement alors, au cours d'une restauration, que l'on découvrit la mystérieuse signature (probablement fausse), en bas à gauche, sur le banc. Inclus dans le catalogue de ce même Coats, à Skelmorlie Castle, sous le numéro trente-sept, il fut ensuite laissé en héritage en 1927 par les deux fils de Coats à la National Gallery of Scotland d'Edimbourg. Des spécialistes comme Wheelock et Montias le datent de 1654-1655 environ, et en rapprochent le style de celui des artistes de l'école d'Utrecht, en particulier Abraham Bloemaert et Hendrick Ter Brugghen. En effet, les seuls éléments vermeeriens du tableau semblent le traditionnel tapis aux couleurs éclatantes et le visage de Marthe, semblable à celui de la *Jeune fille endormie* – considéré, rappelons-le, comme le premier tableau, dans l'ordre chronologique, attribuable à Vermeer avec une certitude absolue.

Selon l'expert critique Swillens, pour citer un exemple, *Le Christ chez Marthe et Marie* n'a absolument rien en commun avec les œuvres authentiques de Vermeer ; il est même totalement étranger – dans l'esprit comme dans la conception, dans l'exécution technique comme dans les éléments expressifs – à toutes les autres toiles connues du maître de Delft. Loin de constituer l'expérience juvénile d'un futur grand peintre, on dirait une copie réalisée dans un style italianisant d'après un original – non identifié – d'un maître italien mineur. Selon Goldscheider (1967), il s'agit d'un sujet de répertoire utilisé dans de nombreuses études du XVIe et du XVIIe siècle. Les sources possibles sont diverses : Bernardo Cavallino, Andrea Vaccaro et Alessandro Allori, mais également le Flamand Erasmus Quellinus et Jan Steen, qui peignit lui aussi un *Christ chez Marthe et Marie*, vers 1655.

Celui qui attribua cette peinture à Vermeer, en 1901, malgré les nettes différences de style (et de sujet) qui en faisaient une sorte de cas unique dans le répertoire connu du maître de Delft, fut justement Abraham Bredius. Considéré désormais comme l'un des experts les plus importants, les plus sûrs, les plus estimés et connus de toute l'Europe, il était depuis longtemps fermement convaincu de l'existence d'une possible "période italienne" dans le travail de Vermeer. La thèse de Bredius avait suscité des polémiques virulentes et des discussions enflammées, dont une partie concernait l'interprétation et la lecture correcte du sujet du tableau, à la lumière de la biographie, si floue, de Vermeer ; controverses qui, comme nous l'avons vu dans le chapitre sur Marcel Proust, avaient duré des décennies. Quoi qu'il en soit, comme l'attribution du *Christ chez Marthe et Marie* était extrêmement discutable, le point central de la controverse était le suivant : s'il s'agissait vraiment d'un Vermeer, eh bien – puisqu'il n'existait que de rares exemplaires de peinture religieuse dans la Hollande protestante, vers le milieu du XVIIe siècle –, ce Vermeer-là semblait, comme par hasard, d'une importance capitale pour éclairer la mystérieuse carrière de l'auteur.

Selon Bredius, en effet, cette peinture démontrait que le jeune Vermeer, au lieu de se limiter à reprendre le style des caravagistes d'Utrecht – comme Dirck Van Baburen, justement, l'auteur de *La Courtisane* de 1622 –, avait voyagé en Italie (voyage dont, par ailleurs, il n'existait aucune preuve documentée) et avait assimilé l'influence du Caravage et de ses épigones. De retour en Hollande, il avait peint une série d'œuvres à sujet religieux, dont la seule à avoir survécu était *Le Christ chez Marthe et Marie*. Mais si par hasard, voire par magie, on avait découvert un autre élément de cette mystérieuse série, des experts comme Bredius auraient été trop heureux d'enregistrer et d'accréditer une telle découverte, venue à point nommé pour corroborer leurs théories.

C'est ainsi que VM décida de peindre l'une des œuvres perdues de ce Vermeer inconnu. Un de ces tableaux "religieux" que des critiques et des historiens comme Bredius avaient toujours – et vainement – espéré retrouver. Les personnages seraient presque grandeur nature, exactement comme ceux du *Christ chez Marthe et Marie* – véritable pierre angulaire de tout le projet de falsification de VM. Aussi bien la composition que la technique picturale présenteraient des analogies évidentes avec le tableau d'Edimbourg. Ainsi, les inévitables discussions se focaliseraient sur des détails, détournant l'attention des experts de la question fondamentale – à savoir, si la peinture que l'on venait de découvrir était *vraiment* issue de la main de Vermeer.

Quant à VM, il était sûr qu'il ne viendrait à l'esprit de personne de considérer comme un faux un Vermeer aussi atypique et éloigné des canons. Mieux : il y avait de fortes probabilités pour que l'on démasquât un tableau construit en suivant la "vulgate" du maître de Delft. Et quel meilleur sujet, pour ce Vermeer prodigieux, que l'apparition du Christ ressuscité aux deux disciples d'Emmaüs ? Une scène d'une grande intensité dramatique, déjà traitée par des artistes aussi éminents que Rubens, Rembrandt et (comme par hasard) le Caravage, qui en avait peint deux versions, dont l'une avait été vue par VM lui-même à Rome, avant que le tableau ne se retrouve à la Pinacothèque de Brera. L'influence présumée du Caravage sur Vermeer était un sujet qui fascinait critiques et amateurs d'art du monde entier. Il n'y avait aucun doute : une telle peinture serait parfaite pour être attribuée au Vermeer "narratif". Un double fascinant et mystérieux, au moins autant que l'original. Peut-être, aussi, parce que ce double Vermeer n'avait jamais existé.

XI

Durant l'été 1936, VM quitta Roquebrune et emmena Jo aux olympiades de Berlin – des vacances merveilleuses qu'il projetait depuis longtemps, mais qu'il n'avait jamais pensé pouvoir se permettre. Mais désormais, ses recherches, complexes et contraignantes, étaient sur le point d'aboutir ; de plus, les insupportables portraits qu'il avait continué à peindre, les derniers temps, lui avaient rapporté des sommes de plus en plus considérables. A l'ouverture de cette fatidique année 1936, VM était un homme relativement aisé : ces quatre longues années n'avaient pas été vaines. Il pouvait enfin se concéder une pause distrayante et agréable, une courte parenthèse d'inactivité totale dans le cadre d'une existence obscure et laborieuse, conduite avec la rigueur ascétique d'un ermite. Puis, naturellement, il reviendrait revigoré sur la Côte d'Azur, pour se consacrer au défi le plus important et le plus difficile de sa vie, et de sa carrière.

En effet, ce fut au retour de ses vacances à Berlin avec Jo que VM décida de travailler sur l'authentique toile du XVIIe siècle, *La Résurrection de Lazare* (œuvre d'un contemporain de Vermeer non identifié), qu'il avait achetée pour la somme, plutôt raisonnable, de cinquante livres sterling. La toile était montée sur son châssis d'origine et avait l'avantage de présenter un réseau uniforme de craquelures d'époque. En premier lieu, il fallait ôter la toile du support (trop fragile et précieux pour endurer des mois de travail, ainsi que trois ou quatre cuissons au four) auquel elle était fixée par des clous d'origine du XVIIe siècle, battus à la main, grâce à de petites lanières de cuir très usées. Une fois le châssis enlevé, VM monta la toile sur une feuille de contreplaqué et commença à gratter la peinture d'origine ; un travail long et fastidieux, au terme duquel il fut contraint de laisser des traces évidentes de la peinture du XVIIe siècle. Il s'avéra impossible de faire disparaître une des têtes du *Lazare*, celle d'une femme portant un couvre-chef, car la vieille peinture adhérait à la toile avec une ténacité imprévisible, et il risquait donc de l'endommager ou d'effacer les craquelures. A la fin, la tête resta plutôt visible, et apparaîtrait clairement sur les radiographies auxquelles serait soumis, dix ans plus tard, *Le Christ à Emmaüs*, légèrement au-dessus et à gauche du pichet blanc posé sur la table.

Avant de commencer enfin à peindre, après des années de préparation soigneuse, VM devait cependant résoudre un casse-tête, pas moins complexe que ceux qui l'avaient occupé jusque-là : celui de la composition. Le problème principal consistait dans le fait qu'il lui faudrait travailler sans modèles. Cela concernait surtout les personnages, beaucoup moins les objets, étant donné qu'au fil des ans, VM avait acheté, dans cette perspective, de nombreux objets du XVIIe siècle. Pour *Le Christ à Emmaüs*, par exemple, il se servirait d'un pichet blanc qu'il réutiliserait largement par la suite – d'autant que, sur de nombreux tableaux de Vermeer, figurait un pichet blanc.

L'Evangile selon saint Luc (XXIV, 13-32) est le seul à rapporter l'histoire du dîner à Emmaüs, mais il ne dit pas grand-chose des deux disciples – un seul d'entre eux, Cléophas, est appelé par son prénom, puis n'est plus mentionné nulle part dans les Evangiles. Cléophas et son compagnon inconnu ne reconnaissent pas le Christ, pendant une longue rencontre sur le chemin menant à Emmaüs. Mais ensuite ils s'assoient pour manger avec lui. "Et il advint, comme il était à table avec eux, qu'il prit le pain, dit la bénédiction, puis le rompit et le leur donna. Leurs yeux s'ouvrirent et ils le reconnurent... mais il avait disparu de devant eux." Le Caravage avait représenté le moment, dramatique, où le Christ lève la main pour bénir le pain – l'instant où son identité se révèle. VM décida de choisir à peu près le même moment, mais déplaça le déroulement de l'action quelques secondes plus tôt, car l'index du Christ ne s'est pas encore levé pour donner sa bénédiction.

Cet épisode, centré sur un sujet fascinant – le rapport entre foi et vision –, avait été très souvent représenté en peinture. Rubens l'avait traité en 1610, réalisant une scène à mi-chemin entre les deux versions du Caravage, et mêlant le dynamisme accentué de la première à la plasticité monumentale de la seconde. Du Rubens, le graveur Willem Van Swanenburg tira une estampe qui circula abondamment en Hollande et qui influença les versions du *Christ à Emmaüs* produites par les caravagistes d'Utrecht, des peintres bien connus comme Hendrick Ter Brugghen (1616) et Abraham Bloemaert (1623). En 1627, ce fut le tour de Rembrandt, engagé, à l'époque, dans des expériences luministes extrêmes, et qui ne manifestait aucune envie de se conformer aux règles illustrées dans le *Schilderboek* de Carel Van Mander.

Se souvenant des louanges adressées par Pline à Apelle car "il savait ôter les mains d'un tableau", pressé de réaliser des œuvres que de grands "perfectionnistes" à succès comme Gerrit Van Honthorst et Pieter Lastman n'auraient même pas pu imaginer, Rembrandt tira de l'épisode d'Emmaüs une peinture révolutionnaire et sensationnelle, qui diffère totalement des versions antérieures. Le Christ devient une pure apparition lumineuse et spectrale, une ombre mystérieuse – projetée sur un mur nu – qui, de l'obscurité où est plongée toute la scène, dégage et projette autour d'elle un halo de lumière (la lumière de la révélation). Née d'une prodigieuse intuition autour du sens du verset de saint Luc, dont la deuxième partie avait toujours été négligée de ses prédécesseurs ("Leurs yeux s'ouvrirent et ils le reconnurent... mais il avait disparu de devant eux"), conçue comme un défi impossible – représenter un personnage présent, mais déjà en train de disparaître –, la peinture de Rembrandt, qui apparaît volontairement comme une œuvre non fignolée et inachevée, est d'une originalité si déconcertante qu'elle est historique en elle-même ; de plus, il s'en dégage une atmosphère surnaturelle qui n'existe ni chez Rubens, ni chez le Caravage.

Chez VM, en revanche, la composition du *Christ à Emmaüs* est simple, austère, essentielle.

La table est recouverte d'une nappe blanche de grosse toile, sur laquelle sont posés un pichet, deux verres vides et quatre assiettes en étain. L'une de ces assiettes contient les deux miches de pain que le Christ s'apprête à bénir. La lumière provient d'une fenêtre en haut à gauche, schématiquement représentée comme un simple rectangle lumineux. Derrière le Christ et le disciple de droite se tient une jeune servante. Le Christ a les yeux mi-clos et baissés. Le disciple de gauche tourne le dos à l'observateur, et il est donc impossible d'en discerner le visage, alors que le disciple de droite est représenté de profil.

Dans le *Dîner d'Emmaüs* peint pour Ciriaco Mattei par le Caravage vers 1601, le Christ est très jeune et sans barbe. Il y a toujours quatre personnages, mais au lieu de la servante, c'est un aubergiste qui est représenté, coiffé d'une calotte. C'est une peinture très mouvementée, dramatique, pleine de bras gesticulants, de bouches ouvertes sous l'effet de la surprise et de serviettes qui volent. La version de 1606 fut réalisée par le Caravage alors qu'il était caché dans les propriétés du prince Marzio Colonna, au sud de Rome, afin de se soustraire à une condamnation pour un homicide commis à la suite d'une rixe, durant le jeu de paume. Elle est plus ténébreuse et sobre, et comporte cinq personnages. Le cuisinier, ou aubergiste, est toujours là, même s'il est plus ratatiné et ridé ; derrière lui est apparue une vieille servante (qui pourrait aussi être sa femme). Les personnages du Caravage sont très réalistes : le disciple de droite (dans la peinture de 1606) est un paysan brûlé par le soleil, aux grandes oreilles et aux mains noueuses. Les personnages de VM, en revanche, sont éthérés, ascétiques, presque oniriques. La scène caravagesque, même dans la peinture plus retenue de 1606, est de toute façon dramatique, plastique. La stupeur de Cléophas, qui reconnaît le Christ, est évidente : il se penche en avant en s'agrippant à la table, pendant que l'autre disciple souligne sa stupéfaction, face à la révélation divine, en levant des mains aux doigts ouverts et tendus. Rien de tout cela chez VM : au lieu du mouvement, c'est l'immobilité la plus absolue. Le disciple de droite et la jeune servante se limitent à contempler sereinement, avec un regard presque rêveur, la figure hiératique du Christ.

Même si VM n'est pas Rembrandt, c'est une manière pour le moins originale de représenter l'épisode. Pour le reste, il est difficile de ne pas être frappé par la ressemblance entre le visage du disciple de droite et celui de *L'Astronome* de Vermeer – un effet très probablement voulu. Quant au profil, il ressemble un peu à celui du Christ dans *Le Christ chez Marthe et Marie*, attribué, comme nous le savons, par Bredius (mais aussi, plus récemment, par Wheelock) à Vermeer. Les yeux cernés et les paupières lourdes de la jeune servante et du Christ sont une caractéristique de VM, également très fréquente dans les tableaux signés de son vrai nom. Le vêtement du Christ est bleu outremer, de même que le tapis sous la nappe. Le vêtement du disciple de droite est orange, celui du disciple de gauche gris. Les mains du Christ sont extraordinairement bien exécutées, le bras gauche du disciple de droite semble disparaître sous le vêtement, entre le coude et l'épaule.

Le visage du Christ – noble, intense, empreint de spiritualité – servit de modèle pour les cinq

Vermeer suivants peints par VM. Lui-même raconta qu'un jour, alors qu'il était seul dans la villa Primavera, il entendit frapper à la porte ; il alla ouvrir et se retrouva "en train de fixer Jésus-Christ dans les yeux". Lorsqu'il fut revenu de sa surprise, il découvrit que le visiteur inconnu n'était pas le Fils de Dieu en personne, mais un vagabond italien qui rentrait dans sa patrie, après quelques mois de travail occasionnel. Il était là pour demander l'aumône. VM l'invita à entrer, pesa le pour et le contre, médita sur le problème, puis lui demanda de poser pour lui. Le vagabond resta plusieurs jours à la villa Primavera, traité par VM comme un prince, même s'il insistait pour ne manger que du pain de seigle avec de l'ail. Lorsque VM lui révéla qu'il l'avait choisi pour servir de modèle à Jésus-Christ, il bondit, rougit, se signa et dit que Jésus-Christ aurait sans doute été mécontent d'être représenté sous les traits d'un vagabond.

Ce fut au début du printemps 1937 que VM apporta les dernières retouches au *Christ à Emmaüs*. Il ne savait pas encore s'il le signerait ou non – c'était un problème qui l'avait longuement tourmenté. La signature n'est pas une preuve importante quand il s'agit de l'attribution d'une peinture. En outre, en signant son tableau avec les initiales de Vermeer, VM commettrait un acte criminel s'il était découvert ; l'acheteur pourrait le citer en justice, et l'accusation principale qu'il encourrait serait justement d'avoir falsifié une signature. De plus, VM savait que s'il présentait le tableau sans signature, il trouverait probablement un terrain encore plus fertile auprès des critiques et des experts, qui font du flair, de l'acuité et de l'intuition les fers de lance de leur métier.

C'est toujours une entreprise ardue que d'établir, de manière irréfutable, l'authenticité d'une œuvre d'art, sauf dans les cas, relativement rares, où la provenance de l'œuvre même s'avère détaillée et certifiée. Ainsi, c'est presque toujours le goût et l'opinion subjective de l'expert qui établissent si un tableau doit figurer parmi les chefs-d'œuvre d'un musée, ou moisir dans une réserve pour l'éternité, s'il vaut la somme considérable qu'un collectionneur est disposé à payer, ou s'il faut le considérer comme une croûte sans valeur. Ce caractère arbitraire, et inévitable, du jugement critique peut alimenter une spirale perverse. Les faussaires – pour des raisons évidentes – ne revendiquent jamais, en général, les faux qu'ils produisent. Si un expert de renom établit, par exemple, qu'une peinture discutable est tout de même un Vermeer (histoire de rester dans le sujet), il est difficilement démenti par un autre expert, même si ce dernier est aussi renommé que lui. Son confrère pourra exprimer une opinion diamétralement opposée, mais ne reviendra pas sur l'attribution du tableau. Ainsi, si un musée important expose un nouveau Vermeer, cette peinture – même si elle ne l'est absolument pas – *devient* automatiquement, et dans tous les sens, un authentique Vermeer.

Si un faux peut être pris pour une œuvre d'un ancien maître, l'œuvre d'un ancien maître peut tout aussi bien être prise pour un faux. En 1922, pour ne citer qu'un exemple, un autoportrait de Rembrandt, qui remontait à 1643, fut volé au musée du Grand-Duché de Weimar. Cette toile, d'une valeur inestimable, se retrouva entre les mains d'un plombier d'origine allemande, Leo

Ernst, qui habitait à Dayton, dans l'Ohio. Ernst devait déclarer, par la suite, avoir acheté ce tableau en 1934, pour quatre sous, à un matelot non identifié, embarqué sur un navire tout aussi fantomatique. Lorsque la femme d'Ernst découvrit, par hasard, la toile dans une vieille malle poussiéreuse que son mari gardait au grenier, le plombier déclara : "Ce n'est rien, juste une saleté que m'a vendue un filou." Mais la femme d'Ernst avait fréquenté l'école des Beaux-Arts de Dayton : elle acquit la conviction que cette toile avait de la valeur. Elle la proposa à tous les antiquaires et à tous les galeristes de New York : ils lui répondirent unanimement, avec dédain, et en se fiant à leur instinct infaillible, qu'il s'agissait d'un faux mal exécuté, tout au plus d'une copie. Ce n'est qu'en 1966, quand les Ernst, après des années de recherches, trouvèrent un journal de l'époque qui décrivait dans les moindres détails le tableau volé à Weimar en 1922, que ces mêmes experts, précédemment interpellés, changèrent d'avis et saluèrent la redécouverte d'un chef-d'œuvre oublié. Mais si la femme du plombier de Dayton – une simple ex-étudiante aux Beaux-Arts – n'avait pas écouté, elle aussi, son instinct, le Rembrandt n'aurait pas été un Rembrandt, mais une misérable croûte indigne d'attention.

Quoi qu'il en soit, VM était bien conscient du paradoxe en vertu duquel, sans signature pour authentifier explicitement toute son opération, les critiques trouveraient la découverte d'un Vermeer perdu encore plus fascinante et impressionnante. Dans l'article du *Burlington Magazine*, Abraham Bredius devait déclarer : "La magnifique signature I.V. Meer ne serait pas nécessaire pour nous convaincre que nous avons affaire à un chef-d'œuvre – je dirais même *le* chef-d'œuvre – de Johannes Vermeer de Delft." A la fin, pourtant, VM se dit que *Le Christ à Emmaüs* était un Vermeer trop différent de ceux universellement reconnus pour prendre un risque supplémentaire. Ayant donc décidé de signer le tableau, restait à choisir le type de signature.

Quatre Vermeer ne portent que les initiales I. V. M. Trois sont signés I. V. Meer (avec le V et le M liés). Trois, Meer, simplement. Sur ces trois, deux d'entre eux, y compris *Le Christ chez Marthe et Marie*, présentent un petit *v* sous le M. L'un présente le nom complet : I. Ver-Meer. Dans tous les autres cas, on a la signature sous la forme du monogramme classique : Meer, avec un I majuscule au-dessus du M. Dans cinq d'entre eux, le *r* final se caractérise par une sorte de queue, qui se termine par une boucle. VM, qui finirait par signer tous ses faux, y compris les deux De Hooch (avec les initiales P. D. H.), signa tous ses Vermeer avec la formule à monogramme classique, et dans trois cas – mais pas dans *Le Christ à Emmaüs* – il ajouta une queue au *r*. Détail curieux : bien que la chronologie des peintures de Vermeer soit en grande partie le fruit de conjectures, on estime que le maître de Delft n'a pas utilisé la signature à monogramme classique jusqu'en 1662 ; après quoi, il s'y serait tenu. Cela démontrerait que VM ne voulait absolument pas faire passer son *Christ à Em-maüs* pour un Vermeer de jeunesse, y compris parce que, à l'inverse de l'odieux Bredius, il considérait que la présumée "période biblique" du maître – et donc *Le Christ chez Marthe et Marie* – pouvait appartenir au dernier Vermeer.

Vermeer travaillait ses signatures avec beaucoup de soin, et VM ne fut pas en reste. Il faut même dire que du point de vue technique, reproduire la signature du maître de Delft fut pour lui la tâche la plus ardue, car chaque lettre devait être réalisée d'un seul coup de pinceau, fluide et continu, sans hésitations, repentirs ni interruptions. Une fois qu'il avait commencé à la tracer – après des exercices préparatoires interminables et épuisants pour les nerfs –, il devait l'achever en quelques instants. Peut-être était-il avantagé par la ressemblance extrême, pour ne pas dire surnaturelle, entre ses propres initiales et celles de Vermeer. En examinant la signature de VM à l'époque de la réalisation des faux, on pourrait aussi constater que la manière de tracer les *ee* et le *r* de Meegeren est quasi identique à celle de l'autographe de Vermeer (appelez cela comme vous le voudrez : appropriation médiumnique, identification, métamorphose). En tout cas, VM signa *Le Christ à Emmaüs* avec la formule qui prévoit Meer et le I majuscule au-dessus du M, utilisant un mélange de céruse, d'ocre, de phénolformaldéhyde, d'huile de lilas et de benzène.

Arrivé à ce stade, VM fit de nouveau cuire la toile dans le four électrique qu'il avait lui-même fabriqué pour cette opération. Une fois qu'il en eut fermé la porte et réglé le thermostat sur cent cinq degrés centigrades, il ne lui resta qu'à attendre nerveusement, pas moins de deux heures, tourmenté à l'idée, effarante, que son chef-d'œuvre – fruit de quatre années de labeur – puisse partir en fumée, ou être définitivement abîmé. La céruse, en particulier, pouvait être sujette à des dégâts, avec le risque d'endommager la nappe et le pichet. Mais lorsqu'il retira enfin la toile du four et qu'il l'examina à la lumière du soleil, VM s'aperçut, avec un énorme soulagement, qu'aucun désastre ne s'était produit ; au contraire, son travail semblait presque frôler la perfection. Les couleurs étaient quasiment inaltérées, la peinture parfaitement sèche ; les précieuses craquelures, appartenant à la couche la plus profonde de la toile d'origine, étaient apparues spontanément à la surface.

Dominant son enthousiasme, VM appliqua sur la surface de la toile une fine couche de vernis et le fit sécher naturellement, favorisant l'apparition d'autres craquelures. Puis, pour plus de sécurité, il enroula la toile autour d'un cylindre, la chiffonna et en mania savamment le dos avec le pouce, afin d'obtenir d'autres craquelures, dans les rares endroits de la peinture où elles manquaient encore. Après quoi, il entama la douloureuse opération qui consistait à recouvrir toute la surface peinte d'une couche d'encre de Chine, pour induire un effet de poussière et de saleté dans les craquelures de la toile. Lorsque l'encre eut séché, il l'ôta avec un grand soin, en même temps que le vernis, et appliqua une autre couche de vernis, brunâtre celui-là, qu'il fit également sécher.

Une peinture du XVIIe siècle n'est presque jamais exempte de dommages et, par conséquent, de très nombreuses toiles de cette époque portent des traces de restaurations. Dans le cas de Vermeer, les vernis aisément solubles qui séparent les différentes couches de peinture ont fragilisé ses toiles : au cours des nombreux nettoyages, plus ou moins maladroits, dont elles ont fait l'objet, elles ont souvent été privées de leur glacis. Seules onze des œuvres survivantes du maître de Delft sont dans un bon état de conservation. Les autres ont été restaurées de diverses manières, parfois trop souvent et de manière excessive, en abîmant les contours estompés, et en rendant moins visibles les touches de peinture originelles. Pour ne citer qu'un exemple, la *Jeune fille à la perle*, surnommée par de nombreux spécialistes "la Joconde du Nord", subit tant d'interventions qu'elle fut réduite en piteux état, frôlant la catastrophe.

Conscient de ce problème, VM gratta la surface peinte (et parfois même les couches sous-jacentes) sur de nombreuses petites zones du *Christ à Emmaüs*, provoquant même, sur la base de l'annulaire de la main gauche du Christ, une légère déchirure de la toile. Puis il restaura le tout sans y mettre trop d'habileté : malgré cela, le résultat ne susciterait aucun soupçon chez un expert comme Bredius, qui parlerait d'une peinture "sans aucune trace de restauration, comme si elle venait de quitter l'atelier du peintre". Après la vente au Boymans Museum, par contre, les interventions de VM seraient considérées comme l'œuvre d'un incompétent, éliminées et confiées aux soins de Luitwieler, le meilleur restaurateur de Rotterdam. Quoi qu'il en soit, une fois achevée sa fausse restauration, VM détacha la toile de son support provisoire en contreplaqué et la remonta sur l'ancien châssis, utilisant les clous et les lanières de cuir d'origine. Il était à mi-parcours de son projet. *Le Christ à Emmaüs* était prêt pour la phase finale de son plan.

XII

Pour *Le Christ à Emmaüs*, VM devait d'abord obtenir un certificat d'authenticité émanant d'un expert de Vermeer hautement reconnu. Un personnage unanimement respecté, d'une autorité et d'un prestige tels qu'il ferait foi, même auprès des collègues les plus sceptiques et dubitatifs. Il ne fut pas difficile de trouver l'homme idéal : nous voulons parler du Pr Abraham Bredius, évidemment. A part tout ce que nous avons déjà dit de lui, si Vermeer avait connu une seconde naissance, on le devait en grande partie à Bredius, le plus illustre connaisseur de la peinture hollandaise du XVIIe siècle. Entre 1870 et 1880, un érudit français, Henry Havard, avait commencé à chercher des informations sur Vermeer et sur sa famille, dans les registres des naissances et des décès de la Vieille Eglise et de la Nouvelle Eglise de Delft, avec l'aide du conservateur des archives locales, Soutendam. Mais c'était justement Bredius, entre 1880 et 1920, qui avait passé au crible les archives notariales de Delft, et qui avait retrouvé certains documents fondamentaux relatifs à Vermeer.

Parmi ceux-ci figurait le premier document dans lequel apparaissait le prénom de l'artiste – après son nom de baptême, évidemment. Il s'agissait d'un acte du notaire Rank, daté du 5 avril 1653, dans lequel il apparaissait que le capitaine Bartholomeus Melling et le peintre Leonard Bramer s'étaient présentés devant lui à la requête de Jan Reynierszoon (ou Jan Vermeer) et de sa fiancée, Catharina Bolnes. Tous deux avaient témoigné que la veille, Maria Thins, la mère de Catharina, avait refusé de signer son accord pour enregistrer la publication des bans du mariage entre sa fille et le jeune Vermeer, âgé de vingt et un ans à l'époque. Mais par la suite, elle était revenue sur cette décision et s'était montrée disposée à leur publication.

Par contre, le contrat de mariage s'était perdu. A l'époque, les archives hollandaises ne prévoyaient aucun système de catalogage et de classification, et les documents circulaient avec une facilité déconcertante. Bredius lui-même avait trouvé tout à fait normal d'emporter des manuscrits chez lui ou dans son hôtel afin de les recopier et d'en souligner au crayon bleu les passages les plus intéressants. Mais, questions de méthode mises à part, son rôle dans la redécouverte de Vermeer était peut-être supérieur à celui de Thoré-Bürger lui-même, et, sans ses recherches de documents, méticuleuses et attentives, les chercheurs suivants n'auraient eu que très peu de matériaux sur lesquels travailler. De plus, comme nous le savons, un élément de première importance plaidait en faveur du choix de VM : Bredius était l'homme qui avait découvert *Le Christ chez Marthe et Marie*, et il avait toujours soutenu qu'il devait exister des Vermeer "bibliques". Il accueillerait donc très favorablement une peinture qui confirmerait sa théorie de prédilection ainsi que l'attribution, très controversée, du tableau retrouvé en 1901, que de nombreux critiques refusaient obstinément d'attribuer à

Vermeer. *Le Christ à Emmaüs* était le chef-d'œuvre que Bredius attendait depuis des années et que désormais, maintenant qu'il était vieux, il n'espérait presque plus découvrir. Il verrait donc, dans cette découverte miraculeuse, une sorte de don divin, et le digne couronnement d'une brillante carrière universitaire.

Bredius était un historien de l'art, plus qu'un critique : mais nous savons que sa parole faisait foi en Hollande depuis au moins cinquante ans. A deux ou trois reprises, il avait commis lui aussi des erreurs d'attribution, mais on les avait considérées comme des péchés véniels, et elles avaient été aussitôt oubliées. Un certificat d'authenticité attribué par Bredius aurait donc un grand poids, au moment de vendre *Le Christ à Emmaüs*. Et de toute façon, du fait que l'un des objectifs principaux de tout le projet de VM était justement de berner et de discréditer les experts, il représentait la cible idéale. De plus, Bredius était un vieil adversaire de VM, bien aguerri : il avait inlassablement éreinté ses travaux et VM – qui, en cela, n'avait pas totalement tort – le considérait comme l'un des principaux responsables de son échec en tant que peintre. Bredius était désormais très âgé (quatre-vingt-trois ans) et presque aveugle. Par une coïncidence bizarre, lui aussi s'était retiré sur la Côte d'Azur, à Monaco, à quelques kilomètres de Roquebrune.

VM était sûr que Bredius se souvenait parfaitement de lui : à cause de l'antipathie féroce qui les opposait, il ne pouvait donc l'approcher personnellement, et encore moins lui faire savoir qu'il était impliqué, d'une manière quelconque, dans cette affaire. Il fallait donc trouver un intermédiaire jouissant d'une excellente réputation, dont l'intégrité fût indiscutable et qui jouât donc le rôle de garant. Aux Pays-Bas, VM avait entretenu des liens d'amitié avec G. A. Boon, membre du Parlement, procureur légal et amateur d'art. VM apprit qu'il était en vacances à Paris : il prit le train afin de le rejoindre, emportant avec lui *Le Christ à Emmaüs*, dans une caisse d'emballage.

Naturellement, il avait préparé une charmante histoire, afin d'expliquer la mystérieuse provenance de cette peinture. Lorsqu'il rencontra Boon, il lui révéla qu'il l'avait reçue d'une de ses amies, une certaine Mavroeke, descendante d'une vieille famille néerlandaise qui, quelques décennies plus tôt, avait quitté le château de ses ancêtres, à Westland, pour s'installer en Italie, avec une collection ne comprenant pas moins de cent soixante-deux toiles de maîtres, parmi lesquelles plusieurs Rembrandt, Hals, le Greco et Holbein. A la mort du père, la collection avait fait l'objet d'un partage entre Mavroeke et un vieux cousin, du nom de Germain. Mavroeke vivait dans les environs de Côme, mais elle se rendait souvent sur la Côte d'Azur. Elle avait une fille qui habitait Strasbourg, alors que le vieux cousin Germain vivait quelque part dans le Midi de la France. Elle voulait quitter l'Italie et avait chargé VM de vendre quelques-uns de ses tableaux. En les examinant, VM en avait repéré un qui lui semblait être un Vermeer. Comme l'exportation de telles œuvres était contrecarrée par le gouvernement fasciste, il avait acheté le tableau en contrebande, ailleurs qu'en Italie, et l'avait emporté à Paris. Il essayait d'obtenir une certification : Bredius serait l'homme le plus indiqué pour ce rôle, mais, pour des raisons évidentes, VM ne pouvait pas le contacter personnellement. De toute façon, cette toile, si elle s'avérait authentique, pouvait valoir jusqu'à cent mille livres sterling. Boon était-il disposé à contacter Bredius, étant entendu qu'il recevrait un pourcentage congru, au moment de la vente ? Il ne fallait pas oublier que, s'il acceptait, Boon accomplirait un acte hautement patriotique, et contribuerait à arracher un chef-d'œuvre néerlandais, un véritable trésor national, des mains des fascistes.

Remarquant que Boon semblait prêt à collaborer, VM lui conseilla de ne pas parler à Bredius de l'histoire de Mavroeke et du fait que le tableau avait été acheté en Italie, en contrebande. En revanche, il pouvait se présenter comme le représentant légal de la fille, et héritière légitime, d'un homme d'affaires français aussi anonyme que fantomatique, récemment disparu mais marié, par le passé, avec une Néerlandaise (elle aussi décédée) qui avait emporté avec elle dans un château du Midi – depuis son manoir de Westland – un grand nombre de peintures à l'huile. Sa cliente nageait maintenant en eaux troubles, elle avait besoin d'argent et l'avait consulté afin d'organiser la vente de quelques œuvres, à vrai dire peu intéressantes, sauf une. Boon devrait dire qu'il était tombé par hasard sur cette peinture particulière, qu'il avait découverte dans une grande armoire située dans le vestibule d'une des chambres du château, une chambre désaffectée. Le tableau avait été relégué dans l'armoire de son père par la cliente, qui l'avait toujours trouvé laid – ceci expliquerait pourquoi personne, parmi les hôtes du château, n'avait remarqué la présence d'un chef-d'œuvre probable, signé, qui plus est. Boon – poursuivait la version élaborée par VM – avait attentivement étudié cette toile, et avait acquis la conviction qu'il s'agissait d'un Vermeer. Sa cliente voulait la faire examiner par un expert, mais elle exigeait que l'on ne rende pas publiques les tristes circonstances qui l'obligeaient à se défaire d'une partie du patrimoine familial ; elle insistait donc pour garder l'anonymat.

Impressionné par l'examen du *Christ à Emmaüs*, que VM, par ailleurs, prit soin d'exalter, Boon – peut-être aussi pour des raisons patriotiques, réellement convaincu d'accomplir un geste méritoire contre les fascistes – accepta de raconter à Bredius une foule de balivernes (en fait, il était convaincu que l'histoire vraie était celle, tout aussi inventée, de Mavroeke). Le 30 août 1937, il écrivit à Bredius pour lui demander un rendez-vous, à Monaco. L'historien accepta : quelques jours plus tard, Boon fit irruption chez lui et ouvrit la caisse d'emballage contenant le présumé Vermeer. Lorsque Bredius vit la toile, il fut saisi d'une émotion encore supérieure à celle qu'il avait éprouvée lorsqu'il avait vu pour la première fois *Le Christ chez Marthe et Marie*. Il savait toutefois qu'il ne pouvait se contenter d'une réaction aussi superficielle, pour révélatrice qu'elle fût ; il demanda donc à Boon de le laisser examiner le tableau tranquillement, pendant deux jours.

C'est pendant ces deux jours que se joua le destin de VM et de sa machination, ingénieuse et complexe. Si Bredius avait manifesté le moindre doute sur cette peinture, quatre années de dur labeur seraient parties en fumée. La nouvelle selon laquelle *Le Christ à Emmaüs* "puait" (pour utiliser un terme appartenant au jargon des antiquaires) se serait répandue avec la rapidité de l'éclair, et le plan sophistiqué de VM aurait fait faillite. Au lieu de quoi, Bredius, malgré sa quasi-cécité, remarqua avant tout que le support de bois, le dos de la toile, les clous et même les lanières de cuir étaient sûrement d'origine. Puis il considéra certains aspects essentiels de la peinture, comme le sujet, la composition, les coups de pinceau, la technique. Au début, il fut vivement impressionné par le pointillé des miches de pain. Après quoi, il mordit à tous les hameçons semés par VM à son intention : le sujet religieux, la figure caravagesque, les personnages presque grandeur nature, le disciple calqué sur le personnage de *L'Astronome*, la signature. Les couleurs étaient du pur Vermeer – bleu outremer, orange – et les craquelures si parfaites qu'elles n'éveillaient pas le moindre soupçon. Après un examen relativement rapide, Bredius jugea que le problème de l'authenticité du tableau était réglé, et envisagea les perspectives révolutionnaires que cette stupéfiante découverte ouvrait, dans le domaine des études vermeeriennes. En l'espace de quarante-huit heures, le vénérable historien rappela Boon et lui manifesta son enthousiasme pour cette toile. Il demanda l'autorisation de la faire photographier. Une fois l'opération accomplie, il rédigea et signa un certificat de garantie, au dos de la photo.

Cette glorieuse œuvre de Vermeer, le grand Vermeer de Delft, a surgi – grâce à Dieu ! – de l'obscurité dans laquelle elle a sommeillé de nombreuses années, immaculée, comme si elle venait de quitter l'atelier de l'artiste ; la profondeur des sentiments qui jaillit de la toile ne se retrouve dans aucune autre de ses œuvres. J'ai vraiment eu du mal à contenir mes émotions lorsque ce chef-d'œuvre m'a été montré pour la première fois, et il en sera de même, j'en suis certain, pour ceux qui auront le privilège de le contempler. Composition, expression, couleur : tout se combine pour former un ensemble artistique exceptionnel, d'une beauté sublime.

Bredius, septembre 1937.

XIII

A la fin du mois de septembre 1937, Boon retourna à Paris et déposa *Le Christ à Emmaüs* au Crédit lyonnais. C'est là qu'il fut examiné, le 4 octobre, par l'homme de confiance de Duveen, le marchand d'objets d'art le plus connu au monde. Dès le lendemain, il envoya une dépêche câblée au bureau de New York. VU AUJOURD'HUI A LA BANQUE UN GRAND VERMEER D'ENVIRON QUATRE PIEDS SUR TROIS REPAS DU CHRIST A EMMAÜS APPARTENANCE SUPPOSÉE A FAMILLE PRIVÉE CERTIFIÉ PAR BREDIUS QUI ÉCRIT UN ARTICLE DANS LE *BURLINGTON MAGAZINE* DE NOVEMBRE STOP PRIX NEUF MILLE LIVRES STERLING STOP LE TABLEAU EST UN FAUX DE PIÈTRE QUALITÉ STOP. Quelques mois plus tard, dans l'enthousiasme général suscité par le nouveau Vermeer du Boymans Museum, ce message déprimant finirait aux oubliettes. Mais sur le moment, le bruit se répandit parmi les antiquaires parisiens comme une traînée de poudre. *Le Christ à Emmaüs* fut évalué par une armada d'experts, mais personne ne l'acheta. L'anxiété croissante de VM se dissipa après l'apparition d'un article providentiel écrit par Abraham Bredius pour le *Burlington Magazine*. Comme prévu, en effet, cet article eut un grand retentissement, même s'il était accompagné d'une très mauvaise reproduction du tableau.

“C’est un moment merveilleux dans la vie d’un passionné d’art, lorsqu’il est brusquement confronté au chef-d’œuvre inconnu d’un grand maître, immaculé, encore sur son châssis d’origine et sans aucune trace de restauration, comme s’il venait de quitter l’atelier du peintre. La magnifique signature I. V. Meer et les pointillés, sur le pain que le Christ s’apprête à bénir, ne font que prouver, si besoin était, qu’il s’agit d’un chef-d’œuvre – je dirais même *du* chef-d’œuvre – de Johannes Vermeer de Delft. C’est aussi une de ses œuvres les plus imposantes, très différente de toutes ses autres peintures, et pourtant totalement sienne. Elle représente le Christ et ses disciples à Emmaüs ; les couleurs sont magnifiques et caractéristiques : le Christ est d’un bleu splendide ; le disciple à sa gauche, dont le visage est presque invisible, d’un beau gris ; l’autre disciple en jaune – le jaune du fameux Vermeer à Dresde [la *Liseuse à la fenêtre*, *N. d. A.*] mais très doux, comme en sourdine, de manière à s’harmoniser parfaitement avec les autres couleurs. La servante porte des vêtements marron foncé et gris foncé ; son expression est merveilleuse. A vrai dire, l’expression est la qualité la plus extraordinaire de cette peinture unique. La tête du Christ est exceptionnelle, sereine et triste ; il paraît songer à toutes les souffrances que Lui, le fils de Dieu, a dû supporter durant Sa vie sur cette terre ; mais elle est aussi pleine de bonté. Quelque chose, dans ce visage, me rappelle une célèbre étude de la Pinacothèque de Brera à Milan, autrefois considérée comme une esquisse de Léonard pour le Christ de *La Cène*. Jésus est sur le point de rompre le pain, comme le dit le Nouveau Testament, les yeux des disciples s’ouvrent enfin et ils reconnaissent le Christ ressuscité d'entre les morts, assis devant eux. Le disciple vu de profil regarde le Christ, avec une expression d'adoration muette mêlée de stupeur. Dans aucune autre peinture du grand maître de Delft nous ne retrouvons un tel sentiment, une compréhension aussi profonde d'un récit biblique, un sentiment aussi noblement humain, exprimé au moyen de l'art le plus sublime. Quant à la période durant laquelle Vermeer peignit ce chef-d'œuvre, je crois qu'il faut l'attribuer à sa jeunesse – à peu près la même époque (peut-être un peu plus tardive) que le célèbre *Christ chez Marthe et Marie* d'Edimbourg. La reproduction ne peut donner qu'une faible idée du splendide effet lumineux produit par la rare combinaison de couleurs de cette peinture magnifique, œuvre de l'un des plus grands artistes de l'école hollandaise."

Fort de la certification de Bredius, dont l'autorité en la matière était unanimement reconnue, M. Boon, l'émissaire zélé de VM, entreprit d'approcher les personnages les plus éminents du monde de l'art, à Rotterdam et Amsterdam. Lorsqu'il montrait *Le Christ à Emmaüs* à ces influents personnages, Boon insistait sur un concept très précis, simple et efficace : un tel trésor national devait être restitué au plus tôt à la patrie. Comme VM l'espérait, Boon trouva rapidement des gentlemen prêts à se déclarer parfaitement d'accord avec lui. Parmi les personnalités les plus marquantes qu'il contacta figurait M. Hannema, directeur du Boymans Museum, qui peu de temps auparavant (comme nous l'avons déjà rappelé) avait organisé une grande exposition consacrée à Vermeer. Mais il y avait aussi D. A. Hoogendijk, le marchand d'objets d'art le plus prestigieux et le plus respecté des Pays-Bas. Il persuada le riche industriel W. Van der Worm de payer la majeure partie du prix demandé, c'est-à-dire 520 000 florins. Le reste fut déboursé par la Rembrandt Society – après décision prise à l'unanimité de tous les sociétaires – et par deux ou trois particuliers, parmi lesquels Bredius lui-même.

Avant la fin du mois de décembre, ce pool hétérogène d'acquéreurs avait déjà confié *Le Christ à Emmaüs* au Boymans Museum. Toutefois, avant de le montrer au public, il fallait le nettoyer, le restaurer et l'encadrer. Luitwieler, le doyen des restaurateurs de Rotterdam, fut chargé de ce travail ; il décida de remplacer le châssis ; quant à l'ancien, il fut conservé dans un entrepôt du musée. Luitwieler corrigea les restaurations artisanales de VM et appliqua une nouvelle couche de vernis, puis monta un châssis moderne et paracheva son œuvre avec un joli cadre. *Le Christ à Emmaüs* était désormais prêt pour être soumis à l'admiration mondiale.

Au début de 1938, VM laissa Jo à Roquebrune et rentra momentanément aux Pays-Bas, afin de suivre de près la vente du *Christ à Emmaüs*. Une fois qu'il eut enregistré le succès total de l'opération, il ne voulut pas laisser échapper l'opportunité, fort alléchante, de se rendre au Boymans Museum pour admirer le nouveau Vermeer qui déchaînait l'enthousiasme du public et des critiques, attirant des foules de visiteurs. Montré dans le cadre de la grande exposition organisée par le Boymans à l'occasion du jubilé de la reine Wilhelmine de Hollande, le tableau était suspendu à la place d'honneur, dans la salle principale ; un robuste cordon protégeait le chef-d'œuvre, empêchant la foule de s'approcher trop près. VM s'arma de patience et se résigna à jouer des coudes dans la cohue, pendant plus d'une demi-heure. A la fin, pour savourer totalement son triomphe, il essaya de se pencher au-delà du cordon afin d'observer de près la peinture que Luitwieler avait nettoyée et restaurée. Aussitôt, un féroce gardien en uniforme lui intima sèchement l'ordre de reculer.

VM feignit de s'exécuter mais, en réalité, il resta planté sur place pour examiner le tableau. Il était accompagné d'un ami d'enfance, et après avoir évalué le tableau pendant quelques secondes, il lui dit, sur un ton des plus convaincus, que ce nouveau Vermeer était un *faux*. Exactement, un faux – et même plutôt raté : il était sûr de pouvoir en réaliser un bien meilleur. "C'est un faux", répéta VM à voix haute, pendant que son ami et d'autres visiteurs le fixaient, incrédules et sceptiques. Après quoi, VM argumenta implacablement : il n'existait pas de Vermeer bibliques, la toile n'avait fait l'objet d'aucun test scientifique sérieux, le coup de pinceau et la composition étaient d'une qualité médiocre. A ce moment-là, de nombreux visiteurs entourèrent VM, le traitant de fou et d'insolent. Son vieil ami déclara, indigné, que les accusations de VM étaient absurdes et invraisemblables. Il exposa ses propres convictions avec un tel acharnement que VM, à la fin, se rendit à ses arguments. "D'accord, d'accord, concéda-t-il, magnanime. Après tout, ce faux grossier *pourrait tout aussi bien être un Vermeer*."

Quelques mois plus tard, l'apothéose de VM pouvait être considérée comme complète. Les principaux experts de Vermeer avaient massivement certifié l'authenticité de son faux, qui, soit dit en passant, avait été vendu, pour une somme conséquente, à l'un des plus éminents musées hollandais. Parmi les peintures exposées au Boymans, *Le Christ à Emmaüs* avait été celle qui avait obtenu le plus large consensus, aussi bien de la critique que du public. Jugée supérieure aux œuvres, pourtant splendides, de Rembrandt, de Hals et de Grünewald, elle avait été définie comme "le centre spirituel de l'exposition" et avait été reproduite, en bonne place, dans les plus grands journaux du monde. Plus encore que n'importe quel Rembrandt, *Le Christ à Emmaüs* apparaissait comme le seul tableau religieux du XVIIe siècle capable d'émouvoir les contemporains. Avec son quiétisme sublime, qui ne semblait rien concéder au surnaturel ou au miraculeux, il donnait l'image d'une spiritualité profondément humaine : l'idéal religieux du XXe siècle. Il ne fallait donc pas s'étonner si la découverte du "plus grand chef-d'œuvre de Vermeer" avait eu un retentissement universel, si on l'avait définie comme "la découverte du siècle" et célébrée, sur un ton triomphal, dans les revues spécialisées dirigées par les pires ennemis de VM.

Sa vengeance consommée, ses ignorants persécuteurs dupés et ridiculisés, le temps viendrait donc, pour VM, de jeter le masque. D'exhiber des preuves et de crier à la face du monde que c'était justement lui, Han Van Meegeren, le raté, l'exclu, l'outsider, le conservateur, le rebelle tourmenté et névrosé, qui s'était révélé un artiste exceptionnel, aux dépens de ceux qui n'avaient jamais voulu reconnaître son génie. Mais rien de tout cela ne se produisit. Au contraire, ce qui suivit, ce fut un silence assourdissant. VM resta muet comme une tombe, et ne commença même pas à réaliser la phase finale du plan qu'il avait si soigneusement projeté. Lui, l'intellectuel idéaliste qui avait immolé, avec une passion admirable, toute son existence au rêve de voir reconnu son talent hors du commun, décida de cacher la vérité. Il abandonna son dessein – poursuivi jusque-là avec une détermination maniaque – et renonça à l'immense satisfaction d'exposer à la risée publique ceux qui avaient provoqué l'échec de sa carrière de peintre. L'idée que, par son silence, il ne connaîtrait pas la célébrité mondiale (fût-ce en tant que faussaire) ne le freina pas, pas plus que la considération, évidente, qu'il ne pourrait pas démontrer au monde entier que son modeste art de barbouilleur réactionnaire avait été jugé à la hauteur de l'inimitable Vermeer. Il se contenta d'empocher les deux tiers des 520 000 florins déboursés par les acquéreurs du *Christ à Emmaüs* ; le reste fut partagé entre Boon et Hoogendijk.

Devenu riche du jour au lendemain, VM, qui durant presque un demi-siècle avait vécu au jour le jour, décida de jouir de la fortune qu'il avait gagnée. Du coup, il n'avait plus la moindre intention de révéler au monde son identité secrète de faussaire et de voir ainsi s'évanouir de prometteuses perspectives de gain. Maintenant qu'il ne manquait pas d'argent, il voulait le dépenser. Sur le chemin du retour vers la Côte d'Azur, décidé à s'octroyer, après des années de retraite, une éclatante parenthèse de débauche, il s'arrêta une semaine à Paris et la passa dans les vapeurs du champagne, en compagnie d'une danseuse suédoise rencontrée dans une boîte de nuit des

Champs-Elysées. Il dépensa une fortune en petits cadeaux pour la pulpeuse jeune femme et pour quelques-unes de ses amies, tout aussi désinvoltes qu'elle ; poussé par les remords, il acheta aussi des cadeaux très coûteux à Jo – son épouse sophistiquée, sévère et exigeante, qui l'attendait à Roquebrune, avec une louable patience. Une fois revenu sur la Côte d'Azur, il inventa deux charmantes histoires pour expliquer son aisance imprévue, qui fut évidente pour tout le monde chaque fois qu'il entrait dans un restaurant, emmenait Jo faire des emplettes à Nice ou à Monte-Carlo, ou passait la nuit au casino, jouant à la roulette des sommes considérables.

Il raconta à sa femme que, parmi les toiles de faible valeur qui avaient transité d'Italie à la villa Primavera – provenant d'un vendeur italien inconnu qui voulait les écouler en France –, il avait trouvé *Le Christ à Emmaüs*. Un coup de chance inouï : un Jan Vermeer de Delft enseveli sous un tas de croûtes dénuées d'intérêt. Evidemment, la nouvelle devait rester secrète : si les autorités fascistes apprenaient qu'un tel chef-d'œuvre avait été exporté illégalement, le vendeur risquait de sérieux ennuis – et cela même s'il soutenait ignorer totalement qu'il s'agissait d'un Vermeer. A tous les autres, même si l'idée paraîtra d'une banalité à la limite de l'invraisemblance, VM confia qu'il avait gagné le gros lot à la Loterie nationale.

Cette affirmation éhontée s'appuyait sur le fait que – comme ses voisins et ses amis le savaient très bien – VM achetait un billet de loterie chaque semaine. Et, en effet, les voisins et les amis de VM ne soupçonnèrent pas un seul instant qu'il eût pu mentir. D'ailleurs, le gagnant d'un tel prix aurait pu tranquillement le retirer auprès de n'importe quelle banque française, sans que le fait soit ébruité et sans attirer l'attention de la police – qui, soit dit en passant, connaissait bien VM pour l'avoir soupçonné à tort de l'assassinat d'une jeune fille. Du reste, à part certaines habitudes excentriques, l'accusation d'homicide, un peu de tapage nocturne de temps à autre et quelques excès de boisson – excès totalement compréhensibles, de la part d'un artiste –, VM ne s'était jamais fait remarquer par les forces de l'ordre. A Roquebrune, on continua donc à parler de M. Van Meegeren comme du personnage chanceux qui avait vu exaucé l'un des désirs les plus communs, chez les simples mortels.

Les deux années qui suivirent la vente du *Christ à Emmaüs*, entre 1938 et 1939, VM se concentra sur la production de deux faux De Hooch : *Intérieur aux buveurs* et *Intérieur aux joueurs de cartes*. Ce dernier affichait de nombreux points communs avec un De Hooch sûrement authentique, l'*Intérieur hollandais* exposé au Metropolitan Museum de New York : la grande fenêtre aux volets de bois ouverts à gauche du tableau, les poutres du plafond, la carte géographique sur le mur du fond. La ressemblance était si frappante que l'on pouvait presque penser à une copie. La jeune fille qui, dans le De Hooch, apparaît debout derrière la table est, dans le faux de VM, assise au premier plan, à droite. En outre, VM ajouta une porte ouverte à droite de la composition, encadrant une servante au travail, dans une pièce au fond de laquelle s'ouvre une petite fenêtre. La scène est semblable à celle de l'authentique *Intérieur aux joueurs de cartes* de De Hooch, conservé à

Buckingham Palace. C'est justement sur cette peinture qu'était calqué le faux de 1938, *Intérieur aux buveurs*, réalisé en superposant, avec une habileté stupéfiante, pas moins de six couches de peinture, et dans laquelle étaient visibles aussi bien la carte originale du XVIIe siècle qui servit de modèle à VM que le pichet – toujours du XVIIe siècle – destiné à devenir sa marque de fabrique et à figurer dans deux autres faux Vermeer (tous deux, quelques années plus tard, seraient retrouvés dans son atelier de Nice).

Pour vendre le De Hooch, VM s'adressa de nouveau à Boon ; il lui dit qu'il s'agissait d'un autre exemplaire de la collection venue d'Italie en contrebande – la collection de la mystérieuse Mavroeke. Boon contacta un marchand connu, Pieter De Boer (qui n'avait aucun rapport avec Carel, l'ex-mari de Johanna Oerlemans). Celui-ci proposa le De Hooch à Daniel George Van Beuningen, richissime armateur de Rotterdam, mécène généreux et propriétaire de la plus importante collection d'anciens maîtres de toute la Hollande. Van Beuningen acheta l'*Intérieur aux buveurs* 220 000 florins, légitimant ainsi, grâce à son indiscutable prestige, l'attribution à De Hooch.

Entre-temps, en juillet 1938, lorsque le bail de la villa Primavera arriva à son terme, VM et Jo quittèrent Roquebrune et s'installèrent à Nice. Là, en l'espace de quelques semaines, ils passèrent – pour ainsi dire – du printemps à l'été, y compris du point de vue résidentiel. En effet, VM acheta comptant la villa Estate, une grande et belle maison de maître dans le quartier chic, autrefois très à la mode, des arènes de Cimiez, qui tirait son nom des ruines romaines les plus imposantes de Nice. Dominé par la silhouette imposante de l'hôtel Regina, rempli de villas confortables avec vue sur la mer et sur la ville, Cimiez se trouvait dans la partie haute de Nice, au pied des Alpes maritimes. La villa Estate, choisie par VM pour être sa résidence définitive, était l'une des plus somptueuses, construite en marbre et dotée d'un vaste terrain planté de vignes, débordant de roseraies et d'oliveraies. Elle comportait douze chambres à coucher, cinq salons au rez-de-chaussée, très lumineux et exposés au sud, ainsi qu'une salle de musique et une bibliothèque, que VM transforma en atelier et en laboratoire. Jo eut enfin l'occasion d'exercer son goût raffiné (et de mettre à l'épreuve les finances de son mari) ; elle dépensa sans compter pour aménager la résidence de manière luxueuse, avec des meubles anciens et décorés, de grande valeur, tout en veillant à tapisser les murs avec des peintures originales de VM. Ce couple exquis s'attira très vite la sympathie du voisinage en organisant une série de fêtes mémorables pour l'inauguration de la villa.

Lorsque les rites d'installation furent terminés, VM s'aperçut qu'il avait dépensé les deux tiers de l'argent gagné grâce au *Christ à Emmaüs*. Il avait acheté la villa Estate pour un prix relativement raisonnable, car elle était si gigantesque et si difficile à entretenir que l'agence immobilière chargée de la vente, soucieuse de trouver enfin un acquéreur, avait fini par baisser ses exigences. Mais en tant qu'architecte et décoratrice, Jo s'était avérée plutôt mégalomane, même si le résultat final, il faut le reconnaître, était splendide. En se livrant à un calcul rapide, VM s'aperçut qu'il pourrait couvrir, tout au plus, deux années des dépenses nécessaires au maintien du niveau de vie princier auquel sa femme et lui s'étaient désormais accoutumés. Et “accoutumés” était vraiment le mot juste, car (outre la boisson, à laquelle ils s'adonnaient de plus en plus) le couple avait commencé à faire usage de morphine. De toute façon, VM était sûr de vendre l'*Intérieur aux buveurs* (chose qui se produirait un an plus tard, comme nous l'avons vu). En outre, De Hooch mis à part, il réaliserait vite autre chose – quelque chose de plus éclatant et de plus important. Le désir, mystérieux et obsédant, était de retour : le moment était venu de se mesurer, encore une fois, à Vermeer.

XIV

En juillet 1939, M. Boon, l'intermédiaire privilégié de VM, vit arriver une lettre de ce dernier, l'informant d'une autre trouvaille sensationnelle : il avait découvert une grande toile qui avait pour sujet la Cène, et qui portait la signature de Vermeer. La lettre était datée "Nuit de lundi, 2 juillet" (curieusement, le 2 juillet 1939 n'était pas un lundi, ni même le 3 juillet). "Mon cher ami. La semaine dernière, Mavroeke s'est présentée chez nous avec des lettres de sa sœur, dont une de grande importance. Elle disait que le cousin de Mavroeke, Germain, qui vit dans un château du Midi, voulait la voir, car il était sur le point de mourir à la suite d'une grave maladie (il est âgé de quatre-vingt-six ans) ; Mavroeke est l'une de ses héritières. La sœur écrivait qu'elle avait vu une photographie du *Christ à Emmaüs* et qu'elle voulait vendre une autre pièce de sa collection. Mais elle se souvenait aussi d'avoir vu chez Germain, dont la collection a la même provenance, une peinture biblique très semblable à l'*Emmaüs*, mais beaucoup plus grande, et avec beaucoup plus de saints. Je me suis rendu sur place avec Mavroeke : nous avons passé deux jours à chercher, mais nous n'avons pas trouvé de saints – rien que des tableaux beaucoup plus récents – jusqu'à ce qu'un domestique nous dise qu'au grenier se trouvaient quelques toiles enroulées. C'est là que Mavroeke et moi avons découvert une peinture splendide et très importante. C'est une *Cène* peinte par Vermeer, mais beaucoup plus grande et plus belle que le tableau qui se trouve maintenant au Boymans de Rotterdam. La composition est émouvante, vénérable et dramatique, plus sublime que celle de toutes les autres peintures du maître. Il s'agit probablement de sa dernière œuvre, et elle est signée. Dimensions : 2,70 x 1,50 mètre. Après l'avoir enroulée de nouveau, Mavroeke et moi avons fait une promenade en montagne, en riant comme deux idiots. Que faire ? Il me semble presque impossible de vendre une telle toile, même si elle est aussi parfaite qu'un nouveau-né ; elle n'a pas été montée sur un nouveau support, elle n'est pas abîmée, elle n'a ni cadre ni châssis. Représente-toi un Christ d'une souffrance inouïe, un saint Jean à la rêveuse mélancolie, un Pierre... – non, il est vraiment impossible de décrire la symphonie d'émotions qu'exprime ce personnage merveilleux, jamais peint auparavant avec une telle efficacité, ni par Léonard, ni par Rembrandt, ni par Vélasquez, ni par n'importe quel autre maître qui se soit hasardé à peindre la Cène."

Quelques semaines après avoir écrit la lettre à Boon, VM partit de Nice pour se rendre aux Pays-Bas avec Jo, peut-être afin de suivre personnellement la vente de *La Cène*. Il avait certainement l'intention de rentrer très vite à Nice car ils n'emportèrent presque rien et n'essayèrent pas de louer ou de vendre la villa Estate, qui resterait vide (à part le gardien) jusqu'au moment où l'armée italienne, après la reddition de la

France, l'occupa pour l'utiliser comme quartier général. Toutefois, la guerre bouleversa les plans des Van Meegeren : elle les surprit aux Pays-Bas et se prolongea au-delà de toutes les prévisions. Personne n'avait encore entendu parler du concept de blitzkrieg ; mais si, au moment de son départ de Nice, VM avait pu prévoir que la France tomberait aux mains des nazis et que les Pays-Bas eux-mêmes seraient envahis par les troupes d'occupation, il n'aurait peut-être jamais bougé de la villa.

Arrivés à Amsterdam, VM et Jo vécurent dans une chambre d'hôtel. Puis, au début de 1940, ils décidèrent d'attendre la fin de la guerre aux Pays-Bas. Avec l'argent qui leur restait, ils achetèrent une jolie résidence champêtre dans le village de Laren. Pour des motifs en partie financiers, VM était impatient de se remettre au travail ; mais pour des raisons évidentes, il n'avait pu emporter le gigantesque four qu'il avait utilisé à Nice afin de vieillir artificiellement les peintures. Il l'avait même démantelé, pour ne pas laisser derrière lui des preuves aussi encombrantes, au cours d'une absence qu'il ne croyait pas destinée à se prolonger. En tout cas, il en fabriqua rapidement un autre et en éprouva l'efficacité en travaillant à une petite *Tête de Christ* qui lui servirait aussi à tester les matériaux et le nouvel équipement technique. La peinture fut réalisée avec beaucoup de soin, même si sa "fabrication" était plutôt simple, étant donné que VM se contenta de superposer trois couches de peinture.

Ayant mené à bien cette expérience fondamentale, VM se remit à travailler à *La Cène*, qui, dans ses plans, devait être son faux le plus ambitieux, y compris parce qu'il devait résoudre un problème très ardu – peindre pas moins de treize personnages autour d'une table. Il pensa le résoudre avec une composition rigidement géométrique : il plaça quatre apôtres debout, (deux à gauche et deux à droite de la table), deux autres assis à gauche, et deux à droite du Christ, deux en face de lui et un à chaque bout de la table. Mais la peinture s'avéra surpeuplée. De plus, d'un point de vue purement technique, en s'abstenant de gratter de larges zones de peinture de l'œuvre sous-jacente, VM afficha son immense mépris à l'égard des experts, sa confiance totale en lui-même et une dégradation notable par rapport à ses précédentes exigences de perfection. En revanche, en ce qui concerne la composition de ce tableau, VM fut scrupuleux et exigeant, comme à son habitude : sur les deux couches originales de peinture, il en passa trois autres, puis en appliqua une quatrième, grise, composée de céruse, de plâtre et d'huile. Il passa par-dessus une couche noirâtre et, enfin, une blanchâtre, après quoi il recouvrit toute la surface à l'encre de Chine.

La Cène était désormais prête à être mise sur le marché, en même temps que la *Tête de Christ* et l'*Intérieur aux joueurs de cartes* de De Hooch. Pour incroyable et surprenant que cela puisse paraître, les trois faux furent vendus en l'espace de six mois, en passant par les mains du même intermédiaire et du même vendeur : deux furent achetés par la même personne. Cependant, l'intermédiaire de VM n'était plus M. Boon, qui avait quitté l'Europe pour fuir l'avancée des nazis : il avait été remplacé par Strijbis, un agent immobilier. Natif d'Apeldoorn, une petite ville aux environs de Deventer, il connaissait VM depuis l'enfance et se montra extrêmement disponible lorsque son ami lui proposa de collaborer avec lui, lui assurant qu'une grosse somme était en jeu. VM dit à Strijbis qu'il avait acheté plusieurs tableaux à une vieille famille hollandaise de La Haye, dont les membres actuels se trouvaient dans une situation financière très difficile. En examinant les peintures en question, VM s'était aperçu que certaines avaient une valeur certaine, et qu'elles pouvaient donc rapporter beaucoup plus d'argent que ce qu'il les avait payées. Il expliqua à Strijbis qu'il ne voulait pas être impliqué dans le processus de la vente et fournit à l'agent immobilier les mêmes justifications qu'à Boon. Bref, les toiles pouvaient valoir plusieurs millions de florins. Si Strijbis acceptait de s'occuper de la vente sans citer son nom, VM lui accorderait un pourcentage de six pour cent sur ses profits.

Au cours de son honnête carrière d'agent immobilier et de son existence de bourgeois bien tranquille, Strijbis ne s'était jamais intéressé à la peinture ; il ignorait tout de l'art et, personnellement, n'aurait jamais accroché aux murs de sa maison des tableaux comme ceux que VM lui proposait de vendre à sa place. Toutefois, les perspectives de gain étaient si alléchantes qu'il eut du mal à en croire ses oreilles. La première peinture que VM lui montra fut la *Tête de Christ*. Il suggéra à Strijbis de la proposer à l'antiquaire Hoogendijk (déjà impliqué dans la vente du *Christ à Emmaüs*) pour un demi-million de florins, somme que Strijbis trouva si absurde et disproportionnée qu'il hésita avant de soumettre à Hoogendijk une proposition si outrageuse qu'elle en paraissait ridicule. Mais, à la grande surprise de l'agent immobilier, Hoogendijk tomba dans le panneau : dès qu'il vit la *Tête de Christ*, il pensa tout de suite au *Christ à Emmaüs* (exactement comme VM l'avait prévu) ; en outre, il la prit pour l'étude préparatoire d'un chef-d'œuvre encore inconnu – ou qui, en tout cas, n'avait pas encore été retrouvé. Quand Hoogendijk demanda à Strijbis comment il l'avait trouvée, l'agent immobilier répondit consciencieusement que le propriétaire cachait son identité, car il ne voulait pas que l'on sache qu'il démantelait le patrimoine familial. Hoogendijk se hâta de proposer la peinture à Van Beuningen (déjà acquéreur de l'*Intérieur aux buveurs* de De Hooch). Ce dernier déboursa 475 000 florins, Hoogendijk en garda 75 000 ; Strijbis, selon toute probabilité, eut droit à un sixième du montant restant, et VM tira de la transaction la coquette somme de 330 000 florins.

Environ un mois plus tard, Strijbis retourna voir Hoogendijk et lui raconta que le propriétaire de la même collection l'avait chargé de vendre le grand Vermeer, dont la *Tête de Christ* ne constituait qu'une esquisse préparatoire. La coïncidence pouvait certes paraître suspecte, mais Hoogendijk – lequel, en réalité, espérait voir surgir du néant cette toile-là – eut l'impression, dès le premier regard qu'il jeta sur *La Cène*, de se trouver en face d'un chef-d'œuvre extraordinaire. En grand secret et en toute hâte, il contacta de nouveau Van Beuningen, lui montra le tableau et avança le prix de deux millions de florins. L'armateur était, sans aucun doute, un homme très riche, mais débourser au pied levé une somme aussi énorme n'était pas une plaisanterie, même pour lui. Il hésita, puis fut effrayé lorsque Hoogendijk laissa échapper une allusion à peine voilée au fait que ce chef-d'œuvre pourrait tomber aux mains des nazis. Les tractations se prolongèrent un moment ; à la fin, las de marchander, Van Beuningen dit qu'il paierait un prix correspondant à 1 600 000 florins, mais qu'il céderait à Hoogendijk d'autres pièces de sa collection, entre autres la *Tête de Christ* qu'il venait d'acheter grâce aux bons offices du même Hoogendijk.

Trois mois plus tard, VM parla à Strijbis de l'*Intérieur aux joueurs de cartes* de De Hooch. Strijbis se contenta de se présenter à nouveau au magasin de Hoogendijk. Cette fois, l'antiquaire ne prit même pas la peine de questionner l'agent immobilier sur la provenance du tableau ; il considérait comme acquis le fait qu'il émanait de l'inépuisable réservoir de la collection bien connue, celle de la fameuse "vieille famille néerlandaise". Désormais, comme Van Beuningen avait été pressé jusqu'à la dernière goutte, tel un citron, Hoogendijk s'adressa à Van der Worm. Le financier, qui avait payé la majeure partie de la somme demandée pour *Le Christ à Emmaüs,* ne trouva pas extravagant de débourser 219 000 florins pour cet incontestable De Hooch, qui par ailleurs était encore plus précieux, puisqu'il portait l'éloquente signature du maître.

En l'espace de quelques mois, à l'âge de cinquante-deux ans, grâce à la naïveté de Van Beuningen et de Van der Worm, VM était devenu un homme extrêmement riche ; quant à Hoogendijk et à Strijbis, ils ne se portaient pas trop mal, eux non plus. Après avoir encaissé comptant les deux tiers des 2 300 000 florins tirés de la vente de la *Tête de Christ*, de *La Cène* et du De Hooch, il aurait pu se retirer des affaires et se prélasser dans le luxe le plus effréné jusqu'à la fin de ses jours – d'autant que, à chaque nouveau faux introduit sur le marché, il risquait de plus en plus d'être découvert. A l'époque, déjà, VM n'avait pas mis de limites à ses plaisirs, et ne s'en était pas privé. Il avait dépensé des sommes énormes pour distraire sa femme et une foule d'amis, avait donné de grandes fêtes dans sa villa ou dans ses boîtes de nuit préférées, était devenu le centre d'un véritable cénacle artistique et intellectuel qui se réunissait à Laren presque toutes les nuits pour se livrer à d'interminables discussions sur l'art, le tout au milieu de chants, de bals et de beuveries mémorables.

Pourtant, juste au moment où tout un ensemble de circonstances favorables semblait le pousser à s'octroyer une longue pause pour réfléchir, VM se remit à trafiquer avec ses fours électriques et ses résines artificielles, avec une énergie renouvelée ; en moins de deux ans, il réalisa trois autres faux Vermeer. Disons, en toute simplicité, qu'il fut poussé à continuer – et donc à intensifier ses efforts – par son instinct créateur, et par la grande satisfaction qu'il tirait de l'acte pictural en lui-même. Il était également poussé par le violent désir de continuer à s'exprimer au moyen de la peinture, et de perfectionner les techniques raffinées qu'il avait inventées. Et, enfin, par le fait de savoir que les plus grands collectionneurs néerlandais se disputaient ses œuvres – celles d'un artiste éreinté par les critiques et dans l'impossibilité, pendant des années, d'exposer dans son propre pays, même dans la galerie la plus insignifiante. Désormais persuadé que ses tableaux produisaient, chez les acquéreurs, le même état de béatitude esthétique que des Vermeer authentiques, VM finit par se dire qu'il ne trompait personne et que l'argent qu'il empochait frauduleusement lui était dû, puisqu'il le récompensait des injustices atroces qu'il lui avait fallu subir ; et puis on le lui versait en échange d'authentiques, de merveilleux chefs-d'œuvre.

En tout cas, VM s'avéra capable d'investir ses gains de manière avisée. Avant tout, pour la plus grande joie de sa femme, il meubla et décora la villa de Laren avec un faste inimaginable. Avec l'aide du fidèle Strijbis, il acheta, en quatre ans, cinquante immeubles (habitations, hôtels et night-clubs), presque tous à Amsterdam et à Laren. Afin de protéger de l'inflation le capital restant, il se lança dans une activité d'antiquaire et acheta plusieurs œuvres d'art, entre autres quelques toiles d'anciens maîtres – authentiques, évidemment. Il prit aussi la curieuse habitude de cacher des liasses de billets de banque dans les conduits du chauffage central et sous le carrelage de sa villa, ou de les enterrer dans le jardin : de temps en temps, il les déplaçait, si fréquemment qu'il oubliait où il les avait mises. Quelques années plus tard, il avouerait à ses enfants qu'à Laren, il devait rester plusieurs liasses de billets, malheureusement cachées Dieu sait où. En tout cas, pour justifier son aisance illimitée, il raconta à ses amis, dans un premier temps, qu'il avait tiré de gros profits d'une vente de tableaux – chose qui était rigoureusement vraie. Après quoi, il réutilisa la fable selon laquelle il avait gagné le gros lot à la Loterie nationale. D'ailleurs, cette fois aussi, personne ne songea à mettre en doute ses affirmations.

XV

Vers la fin de 1941, VM commença à travailler à deux autres faux Vermeer – *La Bénédiction de Jacob* et *Le Christ et la Femme adultère* – qu'il acheva en dix mois. Toutefois, le résultat final fut sans appel : du point de vue purement artistique, VM avait désormais perdu la veine du *Christ à Emmaüs*. En revanche, sur le plan technique, *La Bénédiction de Jacob* était irréprochable : la peinture originale du XVIIe siècle (dont le sujet resta inconnu) fut complètement supprimée, avec un soin supérieur à celui du *Christ à Emmaüs*, et les craquelures s'avérèrent très convaincantes. On ne pouvait pas en dire autant, hélas, du *Christ et la Femme adultère* : VM laissa intactes de larges zones de la peinture originale (une scène de bataille avec des guerriers et des chevaux) qui, par la suite, furent bien visibles aux rayons X ; de plus, au lieu du bleu outremer, il utilisa le cobalt, inconnu au XVIIe siècle. Quant à la technique, par contre, elle était semblable à celle de *La Bénédiction de Jacob* : trois couches de peinture – celle du XVIIe siècle, rougeâtre, à l'huile et à l'ocre, la deuxième, avec du plâtre et de la colle, et la plus superficielle, avec des traces de résine au phénolformaldéhyde.

Curieusement, à la différence des autres (de pur style VM), le personnage de la femme adultère était calqué sur celui d'un Vermeer authentique, la *Liseuse en bleu*, conservée au Rijksmuseum, qui, comme nous le savons, avait déjà servi de modèle pour l'un des premiers faux non vendus de VM, la *Femme lisant de la musique*. Plusieurs critiques et spécialistes pensaient (sans la moindre preuve) que pour la *Femme en bleu*, Vermeer avait pris pour modèle sa propre épouse, Catharina Bolnes ; supposition que VM n'était pas sans connaître. On pourrait donc trouver savoureusement ironique le fait qu'il ait attribué les mêmes traits à une femme adultère. Mais d'autres experts pensaient que Catharina Bolnes avait également prêté son visage à la prostituée de *L'Entremetteuse* (toile dont l'attribution à Vermeer, soit dit en passant, est sujette à caution) : cela jetterait une lumière singulière non seulement sur l'humour de VM, mais aussi sur la vie privée du maître de Delft.

Pour vendre *La Bénédiction de Jacob*, VM s'adressa de nouveau à Strijbis, qui avait acquis de l'expérience ; naturellement, celui-ci retourna voir Hoogendijk qui, à son tour, vendit la toile à Van der Worm pour la somme mirobolante de 1 270 000 florins. Comme *Le Christ et la Femme adultère* fut proposé à Goering par d'autres canaux, ce fut le dernier faux de VM qui transita par les mains de l'inusable duo formé par l'antiquaire et l'agent immobilier. Cependant, avant même que l'accord avec Goering soit conclu, VM travaillait déjà à ce qui serait son dernier faux, *Le Lavement des pieds*. En effet, il avait brusquement décidé de mettre fin à son activité, au moins pour quelque temps, après la mésaventure qui lui était arrivée début 1943, quand le gouvernement néerlandais avait ordonné aux possesseurs de billets de mille florins de fournir aux autorités des explications circonstanciées concernant leur provenance. De ses cachettes de Laren, VM sortit environ mille cinq cents billets ; il expliqua qu'il les avait accumulés en vendant des œuvres d'anciens maîtres. Mais les autorités, prises de soupçons, confisquèrent environ les deux tiers des billets, qui ne furent pas rendus à leur propriétaire légitime. Aux yeux du fisc et de la police politique néerlandaise, VM devint un sujet à surveiller de très près.

Ce fut pour cette raison qu'il décida de mettre fin à sa carrière avec *Le Lavement des pieds*, son faux le plus mauvais, en tout cas le plus laid sur le plan esthétique, le moins inspiré et le moins réussi techniquement. Si, dans le tableau précédent, le Christ décrétait symboliquement le salut d'une femme adultère, ici, il faisait descendre son pardon sur une prostituée occupée à lui laver les pieds (le pied droit, pour être précis, car on ne voit pas le gauche). VM laissa subsister des zones importantes de la peinture originale (d'un auteur inconnu, elle consistait en une scène avec chevaux et cavaliers) et laissa trop longtemps la toile dans le four – ou l'exposa à une température trop élevée. L'huile s'évapora donc trop rapidement et sur la surface apparurent de nombreux petits cratères, que VM retoucha de manière plutôt grossière. Ajoutons, au passage, que la réalisation de ce faux s'avéra pour VM une opération assez coûteuse : le vêtement bleu outremer porté par le Christ – qui occupait plus d'un tiers de la surface de la toile – avait exigé l'utilisation d'une énorme quantité de lapis-lazuli, le matériau le plus onéreux de tous. Mais à ce moment-là, VM ne se souciait guère des problèmes bassement économiques.

Si l'on considère la question sous un angle purement esthétique, les dernières œuvres de VM démontrent que le faussaire cessa de peindre à la manière de Vermeer, et finit par peindre à sa propre manière. S'il était possible de considérer *Le Christ à Emmaüs* comme un Vermeer atypique, curieux, inhabituel, *Le Lavement des pieds* était du pur VM. *Le Christ à Emmaüs* se basait sur *Le Christ chez Marthe et Marie*, un Vermeer atypique et controversé – que le maître de Delft n'avait même pas peint. Peut-être toute la carrière de VM s'était-elle fondée sur un gigantesque malentendu, sinon sur l'invention d'un Vermeer qui n'avait jamais existé. Mais *Le Lavement des pieds* ne rappelait pas le moins du monde le premier grand faux de VM, inspiré par un Vermeer, pour controversé qu'il fût. Désormais, VM n'essayait plus de copier et de falsifier une œuvre qui pouvait être attribuée à l'un des plus grands peintres du XVIIe siècle : il se contentait de se copier et de se falsifier lui-même.

Il est clair que, peu à peu, VM finit par trouver inutile de se fatiguer pour atteindre les résultats techniques et esthétiques qu'au début de sa carrière de faussaire, il avait jugés nécessaires pour vendre ses travaux. Comme beaucoup d'artistes à succès, il perdit l'inspiration, négligea toute recherche d'originalité, cessa d'être exigeant avec lui-même ; il se relâcha, paressa et s'endormit sur ses lauriers. Comme les faux qu'il produisait n'étaient soumis à aucun examen spécifique, pour ne pas parler des radiographies, il ne se soucia plus de réaliser des produits de premier ordre, d'une qualité et d'une facture irréprochables. S'il suffisait de vieillir artificiellement un sujet biblique peint sur une toile du XVIIe siècle et d'exécuter une belle signature bien séduisante (I. V. Meer) pour vendre un faux, si les acheteurs étaient disposés à dépenser une fortune pour une œuvre dont la valeur artistique découlait exclusivement de l'identité présumée de son auteur, à quoi bon travailler comme un fou, avec la rigueur et le sérieux du début, pour obtenir le même résultat ? Dans le cas du *Lavement des pieds*, par exemple, les experts qui achetèrent le tableau pour le compte de l'Etat néerlandais reconnurent que ce n'était pas un chef-d'œuvre ; mais ils n'hésitèrent pas à accepter un prix mirobolant bien que le vendeur, l'antiquaire De Boer, ait refusé l'examen aux rayons X. Pire encore : après l'avoir acheté, ces mêmes experts ne prirent pas la peine de soumettre le tableau aux vérifications et aux examens techniques que De Boer les avait empêchés d'accomplir.

Si les premiers juges des faux de VM, comme Abraham Bredius, avaient été trompés par une œuvre d'une très haute qualité technique et artistique comme *Le Christ à Emmaüs*, les experts qui évaluèrent les VM "tardifs" nous paraissent beaucoup moins excusables – car ils prirent pour des Vermeer originaux des peintures encore plus négligées, mal construites et bâclées que les tableaux produits au grand jour et signés par VM de son vrai nom. Paradoxalement, ce fut grâce à l'inéluctable déclin de sa carrière de faussaire que VM réussit à compromettre pour toujours la réputation et le prestige des soi-disant experts. Certes, il faut dire que l'occupation des Pays-Bas par les nazis favorisa largement les desseins de VM : les autorités, les directeurs de musée, les antiquaires et les collectionneurs craignaient que les chefs-d'œuvre d'une gloire nationale comme Vermeer puissent faire l'objet d'une acquisition forcée, de la part de quelque ambitieux dirigeant du Troisième Reich. Il y avait le danger, bien réel, que ces œuvres inestimables puissent être carrément saisies. Cette peur diffuse, qui se transforma peu à peu en véritable psychose, semblait justifier le secret absolu qui entourait les transactions autour des tableaux, secret farouchement exigé par les agents de VM. C'est ainsi que le milieu des antiquaires néerlandais ne perçut pas le caractère étrange d'une telle abondance de Vermeer sur le marché, encore plus suspecte puisqu'elle finirait par augmenter d'environ un septième – en six ans seulement – le nombre total des œuvres généralement attribuées au maître de Delft. D'autre part, aux Pays-Bas, les acheteurs potentiels d'un Vermeer étaient si peu nombreux qu'ils se connaissaient tous, se faisaient une concurrence féroce et étaient toujours au courant des décisions des uns et des autres, ce qui permettait à VM de monter les prix.

Jugeant qu'il avait trop longtemps exploité le duo bien rodé Strijbis-Hoogendijk, VM eut l'idée, pour vendre *Le Lavement des pieds*, d'utiliser un ancien camarade de classe, Jan Kok, lui aussi originaire de Deventer. Ancien officier du gouvernement des Indes hollandaises, Kok était encore moins féru d'histoire de l'art que l'ignorant Strijbis : il n'avait jamais entendu parler de Vermeer avant que VM lui raconte qu'il avait trouvé *Le Lavement des pieds* dans une “vieille collection", se hâtant d'ajouter que ce tableau pouvait rapporter plus d'un million de florins. Comme VM ne pouvait pas s'occuper personnellement de la vente car – disait-il – il avait de très mauvais rapports avec les antiquaires, Kok accepta de soumettre la peinture à l'attention de De Boer, l'homme qui avait déjà vendu à Van Beuningen le faux De Hooch *(Intérieur aux buveurs)*, reçu par l'intermédiaire de Boon, avant la guerre.

Lorsque De Boer vit *Le Lavement des pieds*, ses pensées volèrent vers *Le Christ à Emmaüs* (conformément aux prévisions de VM, une fois de plus). Il demanda à Kok où il l'avait trouvé, et Kok lui resservit la même histoire que VM avait fabriquée à l'intention de Strijbis. De Boer considéra *Le Lavement des pieds* comme une œuvre d'une valeur tellement inestimable qu'il devait la proposer à l'Etat néerlandais, afin d'éviter d'éventuelles interférences avec les autorités nazies. Il contacta le Rijksmuseum qui soumit la toile au restaurateur du *Christ à Emmaüs*, Luitwieler, et à De Wild, l'auteur du traité sur les couleurs de Vermeer, texte largement utilisé par VM durant sa réalisation du *Christ à Emmaüs* Tous deux exprimèrent un avis très favorable quant à la qualité de l'œuvre et téléphonèrent à Hannema, directeur du Boymans Museum et principal responsable de l'acquisition du *Christ à Emmaüs* par la vénérable institution qu'il dirigeait. Hannema se précipita à Amsterdam : dès que le tableau fut soumis à son admiration, il comprit qu'il se trouvait face à un authentique Vermeer. En quelques heures, on décida de constituer un comité gouvernemental chargé de fixer le prix le plus approprié, en vue d'un achat de la part du gouvernement néerlandais.

VM, qui avait toujours rêvé de discréditer l'establishment artistique de son pays, n'aurait pu mieux choisir les personnages, prestigieux et représentatifs, qui se réunirent au Rijksmuseum quelques jours plus tard, afin de débiter leurs doctes appréciations sur *Le Lavement des pieds*. Outre Hannema, De Wild et Luitwieler, il y avait aussi un spécialiste, Van Schendel, directeur général et conservateur du musée. Etaient également présents le Pr Van Gelder, de l'université d'Utrecht, et M. Van Regteren Altena, célèbre professeur de l'université d'Amsterdam. S'il avait pu entendre de ses propres oreilles les considérations déconcertantes de ces illustres experts, VM aurait pu afficher, à juste titre, une satisfaction profonde.

Pour la première fois depuis l'époque où l'agent anonyme de Duveen avait examiné *Le Christ à Emmaüs* avant qu'il ne soit acheté par le Boymans Museum, Altena déclara qu'il s'agissait sûrement d'un faux. Mais ses collègues s'empressèrent d'ajouter qu'il exagérait : ils n'admiraient pas le tableau (qui tout compte fait ne plaisait à personne), ils le trouvaient même plutôt laid et déplaisant. Toutefois, il était clair qu'il s'agissait d'un Vermeer, et il fallait éviter à tout prix qu'il se retrouve en Allemagne. Ils recommandèrent donc au gouvernement néerlandais, représenté par le Pr Van Dam, secrétaire général du ministre de l'Education, d'acheter ce Vermeer fort peu attrayant mais fondamental, pour le Rijksmuseum (où, de toute façon, il ne pourrait pas être exposé tant que durerait l'occupation nazie), et de le payer 1 300 000 florins, une somme astronomique. Et cela bien que l'antiquaire De Boer, avec une nonchalance sublime, eût refusé de le soumettre aux rayons X. La commission habituelle réservée à ce dernier s'élevait à dix pour cent du prix de la vente, mais comme l'acquéreur était l'Etat néerlandais, il accepta de la réduire à cinq pour cent (65 000 florins). Kok, incrédule, vit tomber du ciel 80 000 florins : une récompense qui lui sembla immorale pour le rôle modeste qu'il avait joué ; mais il l'accepta tout de même.

Une fois vendu *Le Lavement des pieds*, considérant comme achevée sa brillante et lucrative carrière de faussaire, VM quitta Laren au début de l'année 1945 ; il s'installa à Amsterdam et acheta une opulente demeure aristocratique de quatre étages sur le Keizersgracht, dans un quartier très à la mode, où vivaient de nombreux artistes et antiquaires, et qui donnait sur l'un des plus importants canaux de la ville. Rongé par l'aboulie et l'inaction, obsédé par la crainte d'être ruiné – étant dans le collimateur de la police et du fisc –, VM devint un morphinomane de plus en plus acharné, capable de consommer des doses prodigieuses. Il était extrêmement irritable et névrosé, et très vite, pour calmer ses angoisses, il se remit à boire comme un trou, à fréquenter les boîtes de nuit, à sortir avec de très jeunes entraîneuses et à changer de maîtresse toutes les semaines. Après l'avoir, plus d'une fois, surpris au lit avec une danseuse, Jo demanda le divorce : puis, lorsque l'occupation allemande prit fin, elle resta dans la demeure du Keizersgracht, dans les deux étages qui lui furent réservés. VM, qui l'aimait beaucoup malgré tout, lui fit une donation de 800 000 florins. Il continua à aller la voir presque tous les jours, dans ses luxueux appartements. Mais deux mois plus tard (à la fin du mois de mai, pour être précis), comme il le craignait depuis longtemps et comme nous l'avons raconté au début de ce livre, il reçut la visite de deux officiers du Service de sécurité néerlandais.

XVI

Même s'il était très difficile de saper le moral du maréchal Hermann Goering, ce furent justement les terribles nouvelles concernant le destin de son extraordinaire collection d'œuvres d'art qui le plongèrent dans le découragement le plus noir. En effet, bien qu'il fût prisonnier des Alliés, sa désinvolture effrontée et son assurance théâtrale ne commencèrent à vaciller que lorsqu'il apprit que l'ennemi avait mis la main sur son imposante collection, dont la valeur était estimée à environ cinquante millions de marks. La collection avait été transportée à Berchtesgaden le 13 avril 1945 à bord d'*Asia*, le train spécial du maréchal, un train orné de tapisseries, de panneaux, doté de sièges en velours, d'une gigantesque salle de bains, d'une chambre noire parfaitement outillée par Eitel Lange (le photographe personnel de Goering), d'une infirmerie mobile avec six lits, d'une salle d'opération, d'une boutique de barbier bourrée de crèmes, d'eaux de Cologne, de poudres, de vaporisateurs, de lampes à bronzer, et d'un wagon plat sur lequel étaient chargés deux Ford Mercury, une Buick, une La Salle, une Citroën, un fourgon Ford, une camionnette de chasse Mercedes et un véhicule tout-terrain à six roues. Quelques jours plus tard, encore partiellement chargé de trésors, le train avait été réquisitionné par les troupes franco-marocaines. Dès qu'elle avait aperçu les ennemis, Fräulein Limberger – la secrétaire de Goering – avait sauté du train et s'était lancée dans une fuite désespérée en compagnie de Walter Hofer, marchand d'art et homme de confiance du maréchal. Dans leur précipitation, les deux fugitifs avaient abandonné derrière eux les volumineux inventaires qui témoignaient des trafics frauduleux de Goering. Quant au chauffeur de ce dernier, il avait disparu avec une cassette contenant tous les bijoux de sa femme, Emmy.

Puis était survenue la 101e division aéroportée de l'armée américaine. Le lieutenant Raymond F. Newkirk avait interrogé le personnel de service de Goering. Quelques jours plus tard, l'ingénieur allemand qui avait projeté le tunnel sous l'Unterstein conduisait le lieutenant Newkirk dans un ingénieux dédale de galeries souterraines. Ce fut un peloton de sapeurs qui fit irruption dans la chambre secrète – en fait, un antre humide et malsain dans lequel Goering avait amassé ses chefs-d'œuvre, sommairement protégés de l'eau qui dégouttait de la voûte par des tapisseries précieuses. Il y avait là d'inestimables toiles de Van Dyck, Rubens, Botticelli et Boucher, sans parler d'un Vermeer inconnu, d'une magnifique tête de vieillard de Rembrandt (qui malheureusement, par la suite, s'avéra être un faux vendu à Goering en 1940 par un marchand parisien) et de l'*Infante Marguerite* de Vélasquez, clou d'une des collections Rothschild confisquée en 1941.

Le maréchal Goering avait commencé à satisfaire ses appétits de collectionneur dès le milieu de 1940, avec une telle voracité que les dommages provoqués par sa rapacité maniaque ne seraient jamais totalement réparés – même si, durant plusieurs décennies, de nombreux gouvernements et des légions d'experts allaient tenter de récupérer les pièces inestimables que ce nouveau Pierpont Morgan s'était appropriées. Certes, beaucoup d'entre elles avaient été achetées par Goering à des antiquaires et à des marchands français, belges et néerlandais, plus ou moins légalement et contre des sommes énormes – comme *Vénus et Adonis*, de Rubens. Mais celles-là aussi seraient saisies en 1945, car théoriquement elles auraient dû être rendues à leur pays d'origine. D'autre part, plus d'un marchand s'était bien gardé de remettre à Goering l'acte de vente, dans l'espoir de pouvoir revendiquer, plus tard, lesdites œuvres d'art tout en conservant la somme encaissée. Le maréchal était, sans aucun doute, un bandit, un boucanier caractérisé par un manque total de scrupules ; mais même un pirate de son calibre, parfois, pouvait s'avérer imprévoyant, comparé au plus modeste antiquaire parisien. "Le code moral de ces gens-là, avait déclaré Goering à plusieurs occasions, dégoûté et déçu, est inférieur à celui d'un maquignon."

Durant l'été 1940, Goering avait réussi ce qu'il considérait comme son meilleur coup grâce à son agent d'Amsterdam, Aloïs Miedl, le marchand bavarois qui lui avait proposé l'avantageuse "affaire Goudstikker". Il s'agissait d'un riche juif néerlandais, propriétaire du château de Nyenrode et d'une collection composée de mille trois cents peintures, entre autres des Tintoret, des Cranach et deux Gauguin. Avant qu'Hitler n'envahisse les Pays-Bas, le prudent Goudstikker avait mis la collection au nom d'une société fantôme et avait laissé une procuration verbale à un de ses amis non juif. Mais ce dernier était mort, et Goudstikker lui-même s'était noyé à la suite du torpillage du navire à bord duquel il essayait de s'enfuir. La veuve, une ancienne chanteuse autrichienne qui habitait New York, avait chargé un avocat d'Amsterdam de vendre la collection. Miedl en informa Goering et lui demanda un prêt de deux millions de florins pour mener à bien la transaction. Le maréchal accepta, en échange des plus belles pièces. Par la suite, cinquante-trois tableaux finirent entre les mains d'Hitler, qui s'en servit pour décorer son palais de Munich. Evidemment, Goering était convaincu d'avoir géré l'affaire pour le mieux. Il n'apprendrait qu'en 1943 que Miedl l'avait dupé, lui soutirant une somme nettement supérieure à celle demandée par l'avocat de la veuve.

Le principal conseiller de Goering, dès la fin de 1940, était Walter Hofer, dont la carte de visite portait la mention pompeuse "Responsable des collections d'œuvres d'art du Reichsmarschall". Hofer n'était certes pas un homme chichiteux : quand la collection de Georges Barque, qui n'était pas juif et qui, par conséquent, aurait dû récupérer ses tableaux, fut saisie à Bordeaux, Hofer, très intéressé par le Cranach de Barque car il connaissait le goût de Goering pour ce peintre, fit comprendre à Barque que sa collection lui serait rendue beaucoup plus vite s'il acceptait de vendre le Cranach au maréchal. Mais lorsque les agents nazis découvrirent à Paris un Van Dyck et un Rubens, le zélé Hofer se précipita chez Goering pour lui dire : "J'enquête pour savoir si le propriétaire est juif. En attendant, naturellement, les tableaux sont confiés à la garde de ma banque de confiance."

Si Hofer était le cerveau, le bras armé du maréchal était son ami Alfred Rosenberg, chargé par Hitler de saisir les trésors abandonnés par les juifs qui s'enfuyaient. Grâce aux informations confidentielles que Rosenberg lui faisait parvenir, Goering pouvait prendre de vitesse les experts du Führer les plus avisés et omniprésents, Karl Haberstock et Hans Posse, chargés de récupérer des tableaux pour l'immense galerie qu'Hitler voulait faire construire à Linz. L'argent, les tableaux et les bijoux trouvés dans les coffres-forts des juifs se retrouvaient ainsi dans des caisses marquées d'un gros G, qui étaient ensuite chargées dans un camion de la Luftwaffe surveillé par des gardes armés, parfois même dans un wagon de marchandises accroché au train spécial du maréchal.

Une partie des trésors de Goering arriva d'Italie, grâce aux bons offices d'Italo Balbo, qui lui offrit une magnifique copie en marbre de la *Vénus* de Praxitèle, mise au jour à Leptis Magna et estimée à deux millions de marks. Il bénéficia également du soutien de Benito Mussolini, qui lui permit de déclarer à la douane des valeurs bien inférieures à la réalité. Mais son terrain de chasse préféré, dès septembre 1940, était Paris, dont Goering se vantait d'avoir respecté les monuments historiques pendant les bombardements qui avaient suivi l'invasion de la France. A l'entrée du Louvre, dans la galerie du Jeu de paume, on exposa pendant quatre ans les œuvres d'art confisquées par Rosenberg à des "réfugiés" juifs comme Lazare Wildenstein, Mme Heilbronn, Sarah Rosenstein et les frères Hamburger – œuvres que Goering fit cataloguer et sélectionner pour sa collection privée, puis emballer et expédier en Allemagne, avec l'assistance de la Luftwaffe. Le maréchal se vantait souvent du succès qu'il avait obtenu en raflant les trésors cachés des juifs. Il se rappelait avec un immense plaisir la brillante opération du mois d'août 1941, lorsqu'une unité de radio de la marine, logée dans un château du bois de Boulogne, avait déniché le énième dépôt des Rothschild dans une chambre forte : de délicieuses peintures françaises et hollandaises du XVIIIe et du XIXe siècle. Il ne niait même pas avoir eu recours à la corruption, avoir graissé la patte, avec des dessous-de-table et des cadeaux, à des hordes d'experts, déjà plutôt dociles à ses arguments, et avoir utilisé des fonctionnaires de la police française pour dénicher le "butin", dans des cachettes d'une ingéniosité diabolique. Mais il estimait savoir être magnanime à ses heures : il était presque ému jusqu'aux larmes lorsqu'il racontait comment il avait fait émigrer clandestinement, en Suisse, le juif néerlandais Nathan Katz, avec femme et enfants – en échange de plusieurs chefs-d'œuvre déposés au consulat suisse de La Haye, bien entendu.

En général, Goering arrivait à Paris sans crier gare, à bord de son train spécial. Parfois il se présentait enveloppé dans une cape de soie blanche ornée de pierres précieuses, coiffé de l'emblème du cerf de saint Hubert, un svastika de perles entre les bois. Il convoquait le général Hanesse et se faisait remettre des sacs pleins d'argent. Il examinait les fruits des dernières rafles au Jeu de paume, montait dans sa voiture avec une poignée de policiers et d'enquêteurs et, heureux comme un pape, s'en allait dîner chez Maxim's ou assister aux revues du bal Tabarin, ou faire provision de diamants chez Cartier et de cravates chez Hermès. Il trafiquait aussi avec la pègre du marché international de l'art : avocats véreux, receleurs, voleurs, antiquaires à la réputation douteuse, collaborateurs et espions. Il aimait payer comptant et, lorsqu'il était à court de liquide, rudoyait ses assistants. Ceux-ci ne pouvaient oublier l'expression livide et funeste qui était celle du maréchal Goering, dans ces moments-là : gonflé de rage comme un crapaud, il aboyait à l'adresse des malchanceux qui, lorsqu'ils l'accompagnaient faire ses emplettes, devaient avoir sur eux au moins 20 000 marks.

Il n'y avait pas un marchand de renom, en Belgique, aux Pays-Bas, en Suisse, en France, en Suède ou en Italie, qui ne cherchât à lui refiler une pièce. Dès que le maréchal arrivait à Paris (mais la même scène se reproduisait partout), les postulants décidés à lui vendre quelque chose faisaient la queue devant la porte du somptueux hôtel de la Luftwaffe, rue du Faubourg-Saint-Honoré, ancienne résidence des Rothschild, pleine de pièces d'argenterie et de tapis persans. On y croisait des marchands et des antiquaires, mais aussi des princesses et des barons. Goering recevait, par la poste, des montagnes de propositions, souvent fantaisistes, et des paquets de catalogues de ventes aux enchères. Parfois, il réussissait à obtenir des prix incroyablement bas : 35 000 francs pour deux Picasso, 100 000 pour deux tableaux de Matisse et quelques portraits de Modigliani et de Renoir. Mais la plupart du temps, lorsque le bruit se répandait que l'acheteur était le maréchal du Reich, le montant des sommes demandées était multiplié par cinq. "Des prix totalement déments", disait Goering ; mais, victime typique des transes qui caractérisent les collectionneurs enragés, il déliait impassiblement les cordons de la bourse et raflait tout ce qui passait à sa portée. Ainsi, la seule expédition du 23 novembre 1942, chargée à bord du train spécial de Goering, qui faisait désormais la navette entre Paris et Carinhall, comprenait soixante-dix-sept caisses de tapis, des tapisseries et des tableaux confisqués, troqués ou achetés, des statues de bronze et de marbre, un lavabo en chêne et en étain, et un Cranach, payé cinquante mille francs suisses. A la date du 20 octobre 1942, pas moins de cinq cent quatre-vingt-seize œuvres – des sculptures, des tableaux et des tapisseries du Jeu de paume – étaient devenues propriété privée du maréchal du Reich.

Non seulement Goering était inquiet pour ses extraordinaires pièces de collection, mais il craignait aussi pour la sécurité de sa femme Emmy et de sa fille Edda. En réalité, il supportait de moins en moins l'idée qu'il pourrait être considéré comme un prisonnier de guerre. Il avait deviné que les Alliés préparaient un grand procès, qu'ils voulaient le coincer et le déclarer coupable ; mais il n'arrivait pas à comprendre de quoi. Son humeur s'assombrit encore plus, le 20 mai 1945, lorsqu'il fut transféré au Luxembourg dans un avion à six places, tellement minuscule qu'il dut entrer dans l'habitacle en passant par la soute à bagages.

Il fut enfermé sans ménagement dans une chambre au quatrième étage du Grand Hôtel, dans la ville thermale de Mondorf-les-Bains, en même temps qu'une bande de nazis de gros calibre : Ribbentrop, Keitel, Jodl, Ley, Streicher et Frank – ce dernier avait les poignets bandés à la suite d'une tentative de suicide. A sa grande satisfaction, il remarqua aussi le grand amiral Dönitz, la marionnette qui, grâce aux manœuvres du gluant Bormann, lui avait chipé le titre de "nouveau Führer du Reich". Afin d'éviter d'autres actes suicidaires, tout aussi indésirables, de la part des prisonniers, les Américains firent enlever des chambres les lampes et les prises de courant, et remplacèrent les vitres des fenêtres XVIIe siècle par des plaques de Perspex.

Né et grandi au milieu des montagnes, ayant sillonné, dès sa jeunesse, toutes sortes de cieux en tant qu'as de l'aviation et dernier commandant de la légendaire escadrille Richtofen, habitué à parcourir les autoroutes du Reich au volant de grosses voitures de sport, le maréchal, dans sa petite pièce nue de Mondorf, se sentait comme un lion en cage. Tel l'un des cerfs ou des élans qu'il avait traqués et abattus pendant des années, il s'était retrouvé, lui, le plus grand chasseur du Troisième Reich, dans un piège d'acier. Il pensait, avec une nostalgie indicible, à son palais Renaissance de Carinhall, à la salle immense, dans le style d'un pavillon de chasse suédois, à son bureau plus grand que celui de Mussolini, aux tapis luxueux, aux magnifiques trophées en bois de cerf, aux gigantesques ottomanes dans lesquelles se nichaient comme des puces, éberlués, les diplomates étrangers, admirant les doigts couverts de bagues de Goering, et le lion allongé sur son bureau.

Malheureusement pour le maréchal, les mesures de sécurité s'étendirent à la confiscation de ses bagages. C'est ainsi qu'en quelques minutes, un soldat découvrit une capsule de cyanure dans l'une des valises bleues, cachée dans une boîte de café. Mais ce n'était pas tout. L'hôtel était placé sous l'autorité du colonel Burton C. Andrus, un homme pugnace que Goering détestait, le jugeant arrogant et mal élevé. En outre, il trouvait ridicule son casque luisant comme un sou neuf, si bien qu'il le surnomma "le capitaine des pompiers". Andrus punit le sarcasme de Goering, qu'il appelait "le gros lard", en lui confisquant sadiquement plusieurs objets, entre autres un insigne de la Luftwaffe en or, une pendulette de bureau, une montre de voyage de marque Movado, un nécessaire de toilette, un porte-cigarettes en or orné d'améthystes, avec le monogramme du prince Paul de Yougoslavie, une boîte à pilules en argent, un coffret à cigares en or et velours, une montre sertie de diamants, une chaîne en or, trois clefs, une bague avec une émeraude, une bague avec un diamant, une bague avec un rubis, une broche de la Luftwaffe sertie de diamants, quatre boutons de manchette avec des pierres semi-précieuses, une broche en or en forme de rameau, une broche avec des croix gammées en diamants, un sceau personnel en argent, une médaille du Mérite, une croix de fer de première classe 1914, un briquet en or, deux vieilles boucles norvégiennes pour col, une boussole en cuivre, un stylo portant l'inscription "Hermann Goering", un coupe-cigare en argent, une boîte en argent en forme de cœur, un crayon doré et – *dulcis in fundo* – 81 268 marks.

Lorsqu'il s'aperçut qu'on ne lui avait laissé qu'une brosse à dents, une savonnette et une éponge, et qu'il n'avait même pas un peigne pour lisser son abondante chevelure, Goering envoya une protestation écrite au général Eisenhower, qu'il essayait vainement de rencontrer depuis des mois. “Excellence, je ne peux pas croire que vous soyez informé de l'effet humiliant que ce traitement si rude a sur moi.” On lui refusa l'autorisation de voir sa femme et sa fille. En contrepartie, il fit l'objet d'une visite médicale approfondie, d'où il résulta que le maréchal du Reich, taille : un mètre soixante-dix-sept, pesait cent dix-neuf kilos. C'était un individu obèse, flasque, en mauvaise condition physique. Son poids hors du commun était dû, en partie, aux déséquilibres hormonaux consécutifs à une grave blessure à l'aine, et à une longue dépendance à la morphine. Son derrière mesurait au moins un mètre de largeur. Pour essayer de rendre ses épaules aussi impressionnantes que ses flancs, il portait des rembourrages de cinq centimètres. Par ailleurs, il présentait un quotient intellectuel égal à 138, seulement inférieur – comparé à celui d'autres chefs nazis – à celui de Hjalmar Schacht (143) et d'Arthur Seyss-Inquart (141).

Même s'il transpirait copieusement, avait les yeux vitreux et globuleux et le souffle court, même s'il souffrait de syncopes continuelles et était affligé d'un tremblement des mains, irrégulier mais marqué, on ne pouvait pas dire qu'il fût malade. Par contre, à l'entendre, il avait eu plusieurs crises cardiaques et des désagréments de toutes sortes au cours des derniers mois. Il est vrai que son histoire clinique était plutôt intéressante. En 1925, par suite d'un abus de morphine et d'Eukodal, il avait été hospitalisé, en camisole de force, dans l'asile d'aliénés de Langbro, en Suède. Là, il avait refusé, à plusieurs reprises, de prendre des sédatifs, car il craignait d'être déclaré fou pendant qu'il était sous anesthésique ; il n'avait pas voulu se laisser photographier pour la fiche clinique et avait déclaré être la cible d'un complot juif. De plus, au cours de nombreuses hallucinations, il avait vu Abraham lui planter dans le dos un clou chauffé à blanc, lui offrir une lettre de change et lui promettre trois chameaux, s'il cessait de combattre les juifs.

Le 12 août, Goering fut transféré à Nuremberg, à bord d'un avion de transport américain, un C-47. Le maréchal comprit que le procès était imminent. Il embarqua pour ce qui devait être le dernier vol de sa vie, un éclair guerrier dans les yeux. Du hublot de l'avion, pendant l'atterrissage, il contempla un paysage apocalyptique : Nuremberg n'était plus qu'un amas de décombres. On l'enferma dans un taudis de quatre mètres sur deux, avec un lit de camp métallique fixé au sol par des boulons, un minuscule cabinet, logé dans un renfoncement du mur, et une petite table, sur laquelle Goering déposa une photo de sa fille Edda. Au dos de celle-ci, avec une calligraphie enfantine, la petite avait écrit : "Cher papa, reviens vite me voir. Je t'attends. Mille et mille baisers de ton Edda."

Pendant que le procès se poursuivait, Goering, qui exerçait déjà un certain magnétisme sur le médecin chargé des prisonniers, le doux Dr Pflucker, se consacrait à une seule occupation : tenter de corrompre un officier américain qui ne semblait pas très dégourdi. En peu de temps, il obtint l'amitié ambiguë du lieutenant Jack G. Wheelis, un gigantesque ivrogne texan, comme lui passionné de chasse, chargé de garder la clef du dépôt de bagages. Goering lui offrit un stylo en or, une montre suisse avec ses initiales, un étui pour boîte d'allumettes orné d'une croix gammée et le porte-cigarettes en or qui avait appartenu à Goebbels. En échange, Wheelis transmit une lettre du maréchal à Emmy et à la petite Edda, qui entre-temps avait été enfermée avec sa mère dans la prison de Straubing. Quelques mois plus tard, Emmy fit parvenir à son mari une autre lettre, contenant un trèfle à quatre feuilles. Le porte-bonheur fut aussitôt confisqué par l'officier de surveillance. Goering écrivit à sa femme pour la remercier de cette pensée. "Mais que veux-tu y faire ? La chance nous a abandonnés."

A la suite des suppliques déchirantes envoyées par Emmy Goering au tribunal, on décida qu'elle pourrait rendre visite à son mari. "Je ne l'ai pas vu depuis un an et trois mois. Quelques minutes durant lesquelles je pourrais le voir et lui tenir la main m'aideraient énormément à vivre." L'inflexible colonel Andrus renvoya la date de la rencontre pendant plusieurs semaines. Le 12 septembre 1946, Emmy, pâle et amaigrie, vit Goering durant une demi-heure, assis derrière la vitre de séparation, et relié à un gardien par des menottes. Cinq jours plus tard, ce fut le tour de la petite Edda, qui monta sur une chaise pour montrer à son père comme elle avait grandi ; elle lui récita aussi les ballades qu'elle avait apprises, et une poésie qui disait ceci : *Sois loyal et sincère / et ne permets jamais que tes lèvres / soient souillées par le mensonge.* D'après la légende, Goering éclata en sanglots, tapota du bout des doigts la vitre de séparation et dit à la petite fille, d'une voix émue : "Souviens-toi de ces mots, Edda. Souviens-t'en toute ta vie."

Il ne devait plus la revoir. Par la suite, Edda se rendit célèbre par une déclaration, naïve et enfantine : alors que la presse internationale se demandait comment Goering avait bien pu se procurer du cyanure, Edda affirma qu'une fenêtre s'était ouverte dans le plafond de la cellule de son père et qu'un ange était descendu du paradis pour lui apporter la capsule de poison. Quoi qu'il en soit, le 29 septembre, les épouses des accusés furent éloignées de Nuremberg. Il y eut pourtant une rencontre fugitive, à la fin de laquelle Emmy demanda ingénument : "Crois-tu qu'un jour, Edda, toi et moi nous serons libres, et que nous pourrons vivre de nouveau ensemble ?" Goering se contenta de secouer la tête et de dire dans un souffle, qui embua la vitre : "Je t'en supplie, ma chérie. Renonce à tout espoir."

Le mardi 1er octobre, les journaux publièrent des instantanés du bourreau choisi par le tribunal : il s'agissait du sergent-major John C. Woods qui, pour donner à son portrait une touche de pittoresque, se fit photographier serrant dans les mains une grosse corde de chanvre avec laquelle, entre autres, il pendrait l'un des plus grands criminels du monde. A midi, dans une salle bondée, Sir Geoffroy Lawrence, le président du tribunal, déclara le maréchal Hermann Goering coupable de tous les chefs d'accusation le concernant. Tassé sur le banc des accusés, Goering s'efforça de ne pas trahir la moindre émotion. De toute façon, il ne s'attendait pas à un verdict favorable. Il eut pourtant un geste agacé et arracha les écouteurs qui lui permettaient de suivre la traduction. Plus tard, sans manifester le moindre remords, il écouta, au garde-à-vous, Sir Lawrence qui prononçait sa condamnation à mort. On le reconduisit dans sa cellule. Pour empêcher le condamné d'échapper, *in extremis*, à la justice, le colonel Andrus lui interdit les promenades en plein air et les douches, fit changer sa paillasse et décida qu'il serait menotté à un gardien et escorté durant toutes les visites.

Et donc, lorsqu'on lui offrit la possibilité de rencontrer une dernière fois sa femme pendant une heure environ, Goering était menotté par le poignet droit au soldat d'élite Russell A. Keller, derrière lequel se trouvaient trois gardes armés de fusils-mitrailleurs Thompson. Emmy était assise près de l'aumônier Gerecke et tournait son alliance entre ses doigts. Elle demanda à son mari s'il avait encore sa "brosse", ce qui signifiait sa capsule de cyanure. Goering répondit par la négative, mais promit à sa femme qu'on ne le pendrait pas. Emmy se sentait défaillir et s'en alla, passant par une porte de service afin d'éviter photographes et journalistes. Goering, quant à lui, regagna sa cellule et s'occupa à peaufiner son plan, afin de refuser aux Alliés le plaisir de le voir pendu à un gibet. Ce plan prévoyait la complicité de deux hommes, qu'il travaillait avec zèle depuis des semaines : le Dr Pflucker et le lieutenant Wheelis, évidemment. Ce dernier devait subtiliser la capsule de cyanure qui, incroyable mais vrai, était restée dans l'une des valises bleues de Goering (valise dont le même Wheelis, armé des clefs du dépôt de bagages, avait pu vérifier la présence). Quant à Pflucker, il était l'ange dont avait parlé la petite Edda, la main providentielle chargée d'introduire dans la cellule la fameuse capsule et d'en faire sortir deux lettres railleuses, écrites par Goering et adressées au colonel Andrus et au Conseil de surveillance des Alliés, ainsi qu'une autre pour sa femme, Emmy.

La nuit du 13 au 14 octobre, deux camions pénétrèrent en marche arrière dans la cour de la prison et déchargèrent tout le matériel nécessaire aux pendaisons. Autour de la prison étaient rangés des chars d'assaut et quelques unités de défense antiaérienne, afin de repousser un raid éventuel, organisé par des nazis fanatiques. On émit un timbre spécial pour commémorer cette exécution imminente. Le 15 octobre, à quinze heures trente, un détenu de droit commun fit parvenir à Goering un livre appartenant à la bibliothèque de la prison, *Avec les oiseaux de passage en Afrique*, et le nécessaire pour écrire. Puis un employé lui apporta du thé. Goering se pencha sur son feuillet. “Quel manque de goût que de mettre en scène le spectacle de nos morts, afin d'amuser les journalistes, les photographes et les curieux, avides de sensations fortes ! Pur théâtre, du début à la fin. Mais ne comptez pas sur moi.” A sept heures, la porte de la cellule s'ouvrit, et Gerecke, l'aumônier, entra. Goering se plaignit de l'humiliation gratuite qui lui était infligée, avec cette pendaison. Gerecke l'interrompit et l'invita à s'abandonner complètement à son Sauveur. Goering déclara qu'il était chrétien, mais qu'il ne pouvait pas accepter les enseignements de Jésus. Gerecke se leva et quitta la cellule, laissant cet individu irrécupérable à son destin mérité.

A huit heures et demie, le soldat d'élite Gordon Bingham lorgna à travers le judas : Goering était allongé sur sa paillasse. Il portait sa veste, ses pantalons et ses bottes. Ses épaules massives appuyées au mur blanc, il lisait *Avec les oiseaux de passage en Afrique*. Vingt minutes plus tard, le maréchal retira ses bottes et mit ses pantoufles. Il alla uriner, s'approcha de la table, joua avec son étui à lunettes. Il installa son manteau et sa robe de chambre sous son oreiller. Lentement, il se dévêtit : il enleva son béret, sa veste, son pull sans manches, ses pantalons, sa culotte de soie. Il enfila son pyjama : la veste était bleue, le pantalon de soie noire. Il s'allongea de nouveau sur sa paillasse et tira la couverture kaki jusqu'à sa taille. Ses bras étaient étendus sur la couverture, comme le prescrivait le règlement. Il semblait dormir. Les huit journalistes autorisés à assister aux pendaisons arrivèrent. Kingsbury Smith s'approcha du judas et fut frappé par "la physionomie criminelle du prisonnier, avec son visage méchant et dément, et ses lèvres serrées". Dans le câble qu'il envoya à New York, Smith écrivit que, de tous les condamnés, Goering était celui qui devrait accomplir le parcours le plus long pour arriver au gibet, car sa cellule, portant le numéro cinq, était au bout du couloir de la mort.

A neuf heures et demie, le Dr Pflucker revint avec les somnifères. Il entra dans la cellule de Goering, escorté par l'officier de service, le lieutenant Arthur J. McLinden. Goering se réveilla et s'assit tout droit dans son lit. Pflucker lui parla à voix basse, pendant trois minutes environ. Il tendit quelque chose à Goering – quelque chose que le maréchal mit immédiatement dans sa bouche. Puis Pflucker serra la main de Goering qui marmonna : "Bonne nuit." Le médecin sortit en compagnie de McLinden, qui ne s'était aperçu de rien. Goering resta immobile durant une éternité, la tête tournée vers le mur, passant la langue sur la capsule de cyanure. A travers le judas, le lieutenant Dowd le surveilla pendant cinq minutes d'affilée, mais Goering ne bougea pas un seul muscle. Dowd s'en alla, et le soldat

Bingham prit la relève pour scruter le prisonnier : Goering était toujours là, immobile comme une momie. Bingham s'écarta du judas.

Brusquement, le corps de Goering s'anima. Le maréchal se décida en un éclair : il était conscient des risques encourus, mais il craignait une inspection de dernière minute. Il recracha la capsule, baissa son pantalon de pyjama et glissa la capsule dans son anus. Il était si tendu qu'il sentit tout à coup se réveiller la vieille douleur à l'aine, souvenir d'une blessure provoquée par un tireur d'élite de la police, lors du putsch raté de la brasserie Bürgerbräu, à Munich. Cette même blessure, qui l'avait rendu impuissant, lui avait valu, pendant des années, des souffrances indescriptibles, et l'avait rendu esclave de la morphine. Puis la douleur s'atténua, et une heure passa sans qu'il se produise rien de nouveau. Soudain, Goering entendit des bruits suspects dans la cour : c'était le capitaine Robert B. Starnes qui allait recevoir les six hommes chargés des exécutions, et qui les escortait dans le gymnase de la prison. La relève de la garde eut lieu. Dans le judas, l'œil de Bingham fut remplacé par celui du soldat Harold F. Johnson. Goering resta parfaitement immobile, jusqu'à dix heures quarante-quatre. Le soldat Johnson regarda sa montre, puis s'écarta du judas.

Goering fouilla dans son anus et en sortit la capsule de cuivre. Il l'ouvrit, en fit sortir l'ampoule de cyanure et cacha la capsule dans son poing. Il serra le bout de l'ampoule entre ses dents. Il hésita un instant. Il essaya de ne penser à rien, de chasser toutes les idées importunes qui auraient pu l'empêcher de mener à bien son projet. Mais peut-être revit-il, en pensée, la réserve pour les bisons qu'il avait fondée dans les bruyères de Schorf. Ou le sarcophage d'étain contenant les restes de sa première épouse, Carin von Fock, qu'il avait fait ensevelir dans un gigantesque mausolée de granit, au cours d'une cérémonie macabre et spectaculaire, semblable à celle d'un opéra de Bayreuth – les sonneries des trompettes et des cors, le brame des cerfs, les soldats immobiles, en rangs serrés –, pendant que la musique funèbre de Wagner résonnait entre les sapins et que la brume d'été flottait au-dessus du lac de Carinhall. Peut-être ne put-il s'empêcher de penser à ce maudit 18 juillet 1942, le pire jour de sa vie, car ce jour-là, sa secrétaire lui avait annoncé qu'il devait se rendre aux Pays-Bas afin d'examiner le fascinant Vermeer déniché par Hofer.

A la fin, quel que fût l'objet ultime de ses pensées, le maréchal revint brusquement à la réalité et fit le vide à l'intérieur de lui-même. Il serra les mâchoires et brisa le verre de l'ampoule. Un goût d'amandes amères, plutôt désagréable, envahit sa bouche. Un goût âcre, piquant. Il eut l'impression de suffoquer, étouffa un gémissement. Le soldat Johnson regarda à travers le judas et cria. Dans le corridor, un bruit de bottes cloutées résonna, des pas précipités. Hurlements, ordres, chaos. Quelques secondes plus tard, la porte de la cellule s'ouvrit avec un fracas infernal. L'aumônier se rua à l'intérieur et se pencha sur Goering. Il lui tâta le pouls. "Cet homme est en train de mourir !" hurla-t-il.

Une photographie célèbre montre le défunt Hermann Goering allongé sur sa paillasse, les couvertures remontées jusqu'à la poitrine, le bras gauche pendant sur le sol et, surtout, un œil mi-clos et l'autre complice, comme s'il était en train de le cligner – l'œil gauche – en signe d'ultime moquerie à l'égard de ses bourreaux ratés. Cette mort si calculée et si théâtrale, exécutée avec une détermination farouche, demeura une énigme. La commission d'enquête ne parvint jamais à élucider le mystère de la capsule de cyanure, qui fut ensuite achetée par un urologue de New York, entre les mains duquel elle resta, tout au moins jusqu'en 1988. Le suspect numéro un était évidemment le Dr Pflucker, qui se défendit en échafaudant la théorie, bien peu convaincante, de la "cuvette des waters". Il déclara que, selon toute probabilité, Goering avait caché le cyanure sous le bord de la cuvette. L'idée ne résistait à aucune analyse, même superficielle, mais, chose incompréhensible, la commission d'enquête l'adopta, à titre de conclusion provisoire. Pflucker ne nia pas que le maréchal avait exercé sur lui un certain charisme. On lui demanda en quoi consistait le charisme supposé de Goering. "Si vous aviez vécu près de cet homme pendant quinze mois, déclara Pflucker à la commission, vous comprendriez ce que je veux dire."

Ainsi, au bout du compte, la seule défaite vraiment incontestable, aux yeux du maréchal du Reich, était celle que lui avait infligée un parfait inconnu, un faussaire néerlandais dont il n'avait jamais entendu parler. Les Alliés ne l'avaient pas vaincu. Il avait supporté, stoïquement, les pires humiliations et les interrogatoires les plus serrés, et en était même sorti triomphant : il n'avait ni abjuré, ni trahi ses "idéaux". Après la condamnation, il s'était presque convaincu que le procès de Nuremberg n'avait jamais existé. Cela n'avait été qu'un rêve – un cauchemar, peut-être. Mais ça, c'était la réalité – quelque chose qu'il ne pouvait pas supporter. Car dans ce cas, plus unique que rare, c'était lui qui avait été victime d'une farce impitoyable, cruelle. Même s'il s'était agi d'une affaire incroyablement embrouillée, même si, la veille de sa mort, le maréchal n'y comprenait toujours rien. Hofer et Miedl l'avaient dupé. Comment était-ce possible ? Miedl était son représentant aux Pays-Bas, Hofer le conservateur de sa collection privée. Bien sûr, il n'ignorait pas que, dans le monde de l'art, il circulait des histoires inquiétantes ; lui-même répétait à qui voulait l'entendre une de ses plaisanteries les plus célèbres, sur ce sujet, qu'il tenait d'un antiquaire parisien : "Savez-vous, maréchal, que sur les deux mille cinq cents tableaux peints par Corot, huit mille se trouvent aux Etats-Unis ?"

Depuis qu'il avait reçu cette nouvelle funeste, Goering avait eu l'impression que le monde entier s'écroulait. Mais le colonel Andrus était un sadique notoire, et peut-être prenait-il plaisir à le torturer. Car il savait que pour le maréchal Goering, la perspective d'une pendaison n'était rien, comparée à cette catastrophe. Toute l'Allemagne réduite à un tas de décombres ne valait pas un centième de son merveilleux tableau, un splendide Vermeer, qui s'avérait être un misérable faux dénué de valeur. En réalité, Goering se refusa, jusqu'au dernier moment, à croire que son chef-d'œuvre n'était qu'une contrefaçon. Néanmoins, en l'absence d'informations plus précises ou plus crédibles concernant *son* Vermeer, les récriminations larmoyantes du chef nazi ne diminuèrent pas. Il tempêtait pendant des heures, allongé sur sa paillasse inconfortable. Il ne cessait de brailler jour et nuit, importunant tous ceux qui lui tombaient sous la main, jusqu'à ce que le cyanure débarrasse le monde de sa présence encombrante.

XVII

A la fin du mois d'août 1945, presque deux mois après l'arrestation de VM, "l'affaire Van Meegeren" explosa et envahit la une des journaux. Dès le début, il s'éleva des polémiques furibondes, et VM fut décrit comme un affreux collaborateur qui avait entretenu des relations d'affaires avec Hermann Goering. L'accusation infamante de nazisme prit racine : certains écrivirent que VM n'aurait jamais pu maintenir un niveau de vie aussi élevé que celui qu'il avait affiché durant la guerre, s'il ne s'était pas compromis avec l'ennemi. On fit beaucoup de tapage autour de la découverte, à Berchtesgaden (dans le repaire d'Hitler), d'un livre de dessins de ce même VM, normalement vendu dans les librairies, qui portait sa signature et sa dédicace : *Dem geliebten Führer in dankbarer Anerkennung* ("Au Führer bien-aimé, avec mes hommages reconnaissants"). Malheureusement pour la presse à scandale, il fut démontré que VM n'avait apposé que sa signature sur le livre (il avait signé une centaine d'exemplaires). Par la suite, le livre avait été acheté par un fervent nazi, qui avait ajouté une dédicace chaleureuse à l'intention du Führer. Après quoi, on exhuma l'innocent voyage à Berlin de 1936, que VM et Jo avaient entrepris dans le but, fort peu subversif, d'assister aux

Jeux olympiques. Personne ne daigna prendre en considération un fait élémentaire : si VM avait vraiment été un nazi, il n'aurait sûrement pas eu l'idée de refiler un faux Vermeer au maréchal du Reich.

De toute façon, la confession, imprévisible et sensationnelle, du faussaire présumé mit fin à ces spéculations et fit l'effet d'une bombe. *Le Christ à Emmaüs*, le chef-d'œuvre absolu de Vermeer, était l'œuvre du nazi VM ? C'était un vrai scoop. Pendant des semaines, les quotidiens nationaux les plus importants ne parlèrent que de cela. Plusieurs commentateurs en vinrent même à se demander si, par hasard, VM n'était pas l'auteur de *tous* les Vermeer existants – si, dans un certain sens, ce n'était pas *lui*, le mystérieux Jan Vermeer de Delft. Cette thèse incroyable se propagea en peu de temps, offrant au faussaire de longues semaines de bonheur orgueilleux. Nous ne pensons pas exagérer en affirmant que VM rayonnait de joie en assistant au spectacle, stupéfiant, d'un pays entier qui le prenait vraiment pour la réincarnation de Vermeer et qui se passionnait pour son aventure, avec un enthousiasme morbide. A la fin, aux Pays-Bas, l'opinion publique se divisa en deux camps : ceux qui considéraient VM comme un escroc et un charlatan, et ceux qui voyaient en lui un génie et un héros.

Quant à VM, lorsqu'il eut décidé d'avouer ses exploits au monde entier, il n'eut aucune envie de s'arrêter au premier de la liste. Admettre qu'il était seulement l'auteur du *Christ et la Femme adultère* ne lui suffisait plus, même si cet aveu aurait pu suffire à le tirer d'affaire. Certes, il aurait rendu sa version des faits beaucoup plus crédible, acceptable et facile à confirmer ; de plus, elle le présenterait sous un jour favorable, faisant de lui le protagoniste d'une action patriotique des plus nobles – refiler un faux à un odieux chef de bande nazi. Mais ce n'était pas la vérité – tout au moins, pas *toute* la vérité. Car désormais VM, pour la première fois de son existence, n'était pas disposé à mentir, même si cela aurait pu lui simplifier la vie et si dire la vérité risquait, en revanche, d'entraîner des conséquences funestes. Mais VM avait soif de gloire. Il affirma donc être l'auteur du Vermeer exposé au Boymans Museum, du Vermeer de la collection Van Beuningen, et même du Vermeer acheté par l'Etat néerlandais, sur les conseils d'un comité scientifique prestigieux. Les policiers qui recueillirent ces révélations-fleuves jugèrent ce scénario totalement invraisemblable. Soit VM est devenu fou, se dirent-ils, soit il a inventé cette histoire absurde dans le but d'occulter des crimes bien plus graves.

Cependant, dès que des radiographies du *Christ et la Femme adultère* furent disponibles, on s'aperçut, sans erreur possible, que les traces de la peinture sous-jacente correspondaient parfaitement à celles décrites par VM. En soi, cela ne constituait pas une preuve décisive ; mais, une fois semés les germes du doute, les ressemblances esthétiques entre *Le Christ et la Femme adultère* et les cinq autres Vermeer que VM soutenait avoir réalisés n'échappèrent à personne. On trouvait surtout irréfutables les similitudes entre les deux derniers, *La Bénédiction de Jacob* et *Le Lavement des pieds*. On commença aussi à remarquer, avec un trouble grandissant, qu'aucun des six tableaux ne présentait la moindre parenté avec les Vermeer connus jusque-là, à part le très controversé *Christ chez Marthe et Marie*, qui lui-même ressemblait bien peu aux toiles revendiquées par VM.

De plus en plus troublés et éberlués, les policiers et les bureaux du Service de sécurité proposèrent à VM de corroborer sa thèse, en réalisant une copie du *Christ à Emmaüs*. C'était là une proposition pour le moins naïve, dans la mesure où elle ne démontrerait rien de manière absolue : n'importe quel faussaire chevronné aurait été en mesure de réaliser une copie parfaite de ce tableau. VM répondit que c'était une idée ridicule et proposa qu'on le remette en liberté, afin qu'il puisse travailler dans son atelier, avec les matériaux et les drogues dont il avait besoin. Il créerait ainsi un nouveau Vermeer, sous étroite surveillance policière. Comme on pouvait le prévoir, la nouvelle mit toute la presse en émoi. VAN MEEGEREN PEINT POUR SA VIE ! titrèrent certains quotidiens néerlandais, en ces jours frénétiques.

Le sujet choisi par VM pour réaliser son dixième Vermeer (si l'on compte les deux versions de *La Cène* et les deux premiers faux non vendus) fut *Jésus parmi les docteurs* – également appelé *Le Christ enfant, qui enseigne dans le Temple*. Evidemment, ce choix n'était pas dénué d'ironie. La police mit à la disposition de VM tout ce qu'il avait demandé : les huiles essentielles, les pigments de Vermeer, le phénol, le formaldéhyde, et surtout la morphine, peut-être plus importante que tout le reste. Deux mois plus tard, le résultat final, une toile de grandes dimensions, ne fut certes pas mémorable, même s'il était meilleur que les trois derniers faux. Mais il ne faut pas oublier que VM dut travailler sous la surveillance constante des officiers du Service de sécurité, dont deux étaient toujours présents dans son atelier lorsqu'il peignait, le tout dans un climat menaçant de soupçon et de tension. De toute façon, même si *Jésus parmi les docteurs* était loin de constituer un chef-d'œuvre, il était assez impressionnant pour confirmer le fait que VM pouvait vraiment être l'auteur des six autres Vermeer (et, à plus forte raison, des deux faux De Hooch dont il s'attribuait également la paternité).

A ce moment-là, les autorités se retrouvèrent dans une position épineuse et embarrassante. VM n'était plus accusé de collaboration, mais il aurait dû l'être en tant que faussaire : cela signifiait mettre sur pied un mécanisme très complexe car – comme les affirmations de VM ne pouvaient être considérées comme des preuves suffisantes pour valider sa thèse – les peintures auraient dû être soumises à des analyses scientifiques approfondies. L'affaire finirait par connaître un retentissement international et rendrait publique l'incompétence de plusieurs personnages éminents, impliqués dans les évaluations et les ventes des faux. En outre, cela signifierait admettre que l'Etat néerlandais avait dilapidé l'argent des contribuables pour acquérir un Van Meegeren sans la moindre valeur. Les experts appelés à la barre pour démontrer la véracité des déclarations de VM seraient les mêmes qu'il avait trompés : ils devraient donc justifier leurs insuffisances et, en même temps, exalter la prodigieuse habileté de l'accusé, qui ne demanderait pas mieux que d'être jugé coupable : il prouverait ainsi, à lui-même et au monde entier, qu'il était vraiment un génie.

Alors que le procès était sans cesse repoussé, VM, comme il l'avait prévu, ne tarda pas à découvrir que sa confession époustouflante était destinée à lui coûter cher. Génie et héros, certes, mais à quel prix ? La réponse était simple : en décembre 1945, il fut déclaré insolvable et contraint, par le fisc, à se déclarer en faillite, car les exorbitantes demandes d'indemnisation dont il faisait l'objet atteignaient trois ou quatre fois la valeur totale des biens qui lui restaient. Il faut se rappeler que, grâce à la vente des six Vermeer et des deux De Hooch, VM avait gagné plus de cinq millions de florins (dont deux tiers, cependant, s'étaient déjà volatilisés en 1945). L'Etat lui avait confisqué 900 000 florins en billets de mille. VM en avait donné 800 000 à Jo après leur divorce. Il n'arrivait plus à retrouver les 300 000 enterrés dans son jardin ou cachés dans les conduits du chauffage, ou dans d'autres endroits ingénieux de sa villa de Laren. Durant les huit années qui s'étaient écoulées depuis la vente du *Christ à Emmaüs*, il avait dépensé 1 500 000 florins. Restaient les œuvres d'art et les biens immobiliers – maisons, hôtels, night-clubs – évalués environ deux millions de florins. Mais ses divers créanciers lui réclamaient la somme de sept millions de florins, deux de plus que ceux qu'il avait gagnés.

Le plus acharné de tous était l'Etat néerlandais, qui se déclara gardien de tout ce qui appartenait au criminel de guerre Hermann Goering, détenu, à ce moment-là, dans une prison allemande ; il décida aussi que VM devait restituer au Trésor public l'intégralité de la somme payée par le chef nazi pour un faux dénué de valeur (réglée en œuvres d'art, soit dit en passant). Ce n'était pas tout : VM devait rembourser à l'Etat néerlandais les impôts non payés sur les bénéfices liés à ses activités de faussaire, de 1937 à 1943 – bénéfices totalement annihilés par les demandes d'indemnisation : on lui demandait donc de payer des impôts faramineux sur des gains qu'il devait restituer. Dans la pratique, l'Etat exigeait trois millions de florins pour *Le Lavement des pieds* et *Le Christ et la Femme adultère*, ainsi que deux millions d'amende (en plus des 900 000 florins déjà confisqués). Plus modestement, le Boymans Museum se contenta de réclamer les 520 000 florins qu'il avait déboursés pour *Le Christ à Emmaüs*. Cependant, comme il s'était écoulé plus de sept ans depuis la transaction, la réclamation du Boymans fut déclarée nulle. En revanche, après la déclaration de faillite, l'Etat confisqua tous les biens de VM. Ceux-ci furent très bien administrés par le syndic de la faillite : en quelques années, ils rapporteraient environ quatre millions de florins, que l'Etat ne manquerait pas de dévorer pour satisfaire ses demandes déraisonnables, partageant entre les autres créanciers le peu qui restait.

Malgré l'atmosphère d'attente frénétique qui régnait dans tous les Pays-Bas, il fut décidé que le procès, initialement fixé en mai 1946, dix mois après les révélations traumatisantes de VM, ne s'ouvrirait qu'en octobre de l'année suivante. Quoi qu'il en soit, l'accusé avait été acquitté par l'opinion publique : désormais, l'immense majorité des Néerlandais considérait VM comme un héros national. Entre-temps, les éditeurs commencèrent à se chamailler et à s'arracher les droits de l'autobiographie que VM ne manquerait pas d'écrire, une fois le procès achevé. On savait aussi que les estimations de ses tableaux atteindraient des sommets. Les antiquaires se mirent à farfouiller frénétiquement dans leur arrière-boutique, à la recherche d'un authentique Van Meegeren, autrefois considéré comme une croûte, mais pouvant maintenant atteindre des chiffres comparables à ceux de peintres beaucoup plus célèbres et reconnus que lui. On offrit même à VM de se rendre aux Etats-Unis, où il pourrait peindre des portraits et des copies d'anciens maîtres, avec la technique et dans le style de ses faux tristement célèbres. Un impresario new-yorkais proposa carrément d'acheter les huit faux de VM afin de les exposer dans différentes foires, aux Etats-Unis ; VM eut beau faire preuve d'un humour remarquable et déclarer trouver la proposition très alléchante, on ne donna aucune suite à celle-ci.

Entre-temps, le 11 juin 1946, le ministre de la Justice avait enfin nommé les quatre membres de la commission scientifique chargée d'enquêter sur les faux Vermeer, sous la présidence du juge Wiarda. Le comité technique comprenait M. Coremans et l'expert chimiste Froentjies, ainsi que les historiens de l'art MM. Schneider et Van Regteren Altena – ce dernier avait été le seul à déclarer que *Le Lavement des pieds* était un faux, lors des réunions du Rijksmuseum qui avaient abouti à l'achat inconsidéré de cette œuvre par l'Etat néerlandais. Quelques semaines plus tard, on coopta également dans le groupe M. De Wild, auteur du célèbre traité sur les couleurs de Vermeer, ainsi que responsable de l'imprudente acquisition du *Lavement des pieds*.

Les tests chimiques, longs et compliqués, pratiqués sur les tableaux furent exécutés par Froentjies et De Wild dans le laboratoire d'Etat de La Haye, pendant que le diligent Coremans se rendait à Bruxelles, afin de superviser des examens et des expériences sur la composition de la peinture. Il eut recours à des radiographies, à des photographies aux rayons ultraviolets et infrarouges, à des spectrographies et à des analyses microchimiques. Sur la surface des tableaux, on identifia la présence de phénol et de formaldéhyde (substances inconnues avant le XIXe siècle). La substance trouvée à l'intérieur des craquelures, trop homogène pour être de la poussière ou de la crasse, s'avéra être de l'encre. La peinture avait été tellement durcie que même les solvants les plus agressifs, capables de détruire totalement une vieille peinture authentique, ne pouvaient l'attaquer. On découvrit que les craquelures avaient été provoquées artificiellement : celles de la surface étaient parfaites mais, dans les couches plus profondes, elles n'offraient pas un aspect authentique. En janvier 1947, les résultats furent soumis à l'avis de deux experts britanniques renommés, le Pr Plenderleith (responsable du laboratoire de recherche du British Museum) et le Pr Rawlins, du laboratoire de la National Gallery.

Naturellement, VM accepta de collaborer pleinement à l'enquête – même si, n'ayant rédigé aucun témoignage écrit sur son travail, et comme sa mémoire commençait à vaciller, ses affirmations s'avérèrent souvent contradictoires, imprécises ou confuses. En contrepartie, les perquisitions minutieuses de l'inspecteur de police W. J. C. Wooning, dans l'atelier de VM à Amsterdam, dans sa résidence de Laren et dans la villa de Nice, conduisirent à la découverte de nombreuses pièces à conviction ; certaines étaient d'une importance décisive, comme les quatre faux non vendus, que VM avait réalisés à titre expérimental, ou d'autres tableaux inachevés (entre autres un De Hooch très prometteur) et le moignon que VM avait découpé dans le châssis de *La Résurrection de Lazare*, l'original du XVIIe siècle utilisé par ce même VM pour peindre *Le Christ à Emmaüs*.

C'était bel et bien VM qui avait déclaré à la police néerlandaise avoir prélevé en 1937, sur *La Résurrection de Lazare,* une bande verticale d'une largeur de cinquante centimètres environ : ceci afin de démontrer, à l'avenir, qu'il était bien l'auteur du *Christ à Emmaüs*. Après quoi, il avait raccourci, sur une longueur analogue, les deux parties horizontales du châssis. Au moment voulu, les moignons de bois et la bande de toile démontreraient, sans l'ombre d'un doute, que l'auteur du tableau était VM, car Vermeer n'aurait eu aucune raison valable de raccourcir le support de la toile. Ainsi, si VM l'avait voulu (et s'il avait été obligé de révéler la fraude), le monde entier aurait compris qu'un grand artiste pouvait produire un faux parfaitement "créatif", et d'une telle habileté que même les critiques les plus subtils et les techniciens les plus scrupuleux ne pourraient le distinguer d'un chef-d'œuvre du XVIIe siècle. VM avait laissé les "preuves" dans sa villa de Nice et, comme nous le savons, était reparti pour les Pays-Bas tout de suite après le début de la guerre, en 1939. Il n'était plus revenu en France. Lorsque la police néerlandaise avait envoyé à Nice une équipe sur ordre de l'inspecteur Wooning, celle-ci n'avait retrouvé qu'un seul des deux moignons du châssis ; quant à la bande de toile, il n'en restait aucune trace. Toutefois, le fragment était de taille exacte et, par un heureux hasard, bien que *Le Christ à Emmaüs* ait été, entretemps, remonté sur un autre châssis, le Boymans Museum avait amoureusement conservé le support d'origine.

Grâce à une longue série de vérifications, la commission Coremans fut en mesure d'établir que le moignon scié par VM en 1937 appartenait au châssis d'origine. La vérité commençait à se profiler, de plus en plus crue et de plus en plus scandaleuse : en effet, elle constituait un affront indélébile pour tous ceux qui, dans cette affaire, avaient joué leur réputation, c'est-à-dire, en premier lieu, le Boymans Museum, Abraham Bredius, M. Hannema du Rijksmuseum et Van Beuningen, l'armateur. Quoi qu'il en soit, à la fin – en mars 1947 – les membres de la commission Coremans, bien que réticents, durent se rendre à l'évidence : comme il le désirait ardemment, VM devait être reconnu coupable de production de faux.

Au-delà de toute observation technique, le fragment de châssis, désormais célèbre, correspondait parfaitement à celui conservé au Boymans Museum. A part les cernes, même les contours d'un trou dû à un ver à bois coïncidaient, trou que la scie de VM avait accidentellement coupé en deux. C'était la preuve irréfutable que VM avait peint *Le Christ à Emmaüs*. Un faux moderne, donc, au lieu d'un chef-d'œuvre du XVIIe siècle, un cas unique dans toute l'histoire de la peinture. Plus encore : il était presque certain que les autres peintures de Vermeer, revendiquées par VM, étaient elles aussi des *faux authentiques*. Pour incroyable que cela puisse paraître, ils étaient tous de sa main. Vermeer, IVMeer, Van Meegeren, VM. La transfiguration s'était enfin accomplie.

XVIII

Avant de nous occuper du "procès Van Meegeren", il nous faut ouvrir une parenthèse au sujet de l'armateur Daniel George Van Beuningen, dont nous savons qu'il a été l'une des principales victimes du faussaire. Durant l'audience dans la salle du tribunal, en effet, l'armateur ne se distingua par aucune initiative particulière, mais après la mort de VM, à la surprise générale, il demanda aux responsables du Boymans Museum l'autorisation d'acquérir *Le Christ à Emmaüs* pour une somme égale à celle que le musée avait déboursée en 1937. Les responsables du musée, qui gardaient le tableau caché dans les souterrains, déclinèrent aimablement cette offre. Van Beuningen le prit très mal ; en réalité, il ne s'était jamais résigné à l'idée que *La Cène*, le splendide Vermeer universellement célébré pour sa grande beauté et pour la place significative qu'il occupait dans l'œuvre du maître de Delft, soit l'un des faux les plus coûteux de toute l'histoire.

Quand le tableau lui fut restitué, à la fin du procès intenté à VM, au lieu de le détruire (comme le prévoyait la loi néerlandaise), Van Beuningen décida de le réintégrer dans sa collection. Déterminé à ne pas capituler tant qu'il aurait une possibilité, même minime, de prouver que *La Cène* était un Vermeer authentique, il accepta de financer, avec des moyens conséquents, les recherches de l'historien belge Jean Decoen ; ce dernier était convaincu que *La Cène* et *Le Christ à Emmaüs* étaient des Vermeer. Decoen se mit au travail, épaulé par deux importants antiquaires d'Utrecht, les frères Krijnen. Afin d'obtenir des preuves décisives démontrant que *La Cène* n'était pas due au pinceau de VM, Decoen et les frères Krijnen passèrent trois années à sillonner la Belgique, l'Italie, la France et le Canada aux frais de Van Beuningen, qui leur avait promis une récompense de cinq cent mille dollars.

De plus en plus découragé par l'issue négative des enquêtes entreprises par ses experts, Van Beuningen, en février 1947, réclama aux héritiers de VM la restitution de la somme vertigineuse qu'il avait versée à tort. Mais, par la suite, il revint sur cette décision et, toujours sous la pression de Decoen, il se persuada de nouveau que *La Cène* était un grand Vermeer. Il retira alors sa demande de remboursement et demanda au Boymans Museum l'autorisation d'acheter *Le Christ à Emmaüs*. Digérant mal le refus du Boymans, il engagea une action en justice contre le Pr Coremans, dans le but d'obtenir une indemnité de cinq millions de florins, soutenant que c'était justement le jugement frauduleux de ce même Coremans qui avait sali sa réputation de collectionneur et fait s'effondrer la valeur de son magnifique Vermeer. L'affaire aurait dû être plaidée à Bruxelles en juin 1955, mais, juste à ce moment-là, Van Beuningen mourut à l'improviste, des suites d'une crise cardiaque. Ses héritiers décidèrent de poursuivre dans la même voie et c'est ainsi que, sept mois plus tard, l'affaire fut de nouveau plaidée devant les tribunaux.

Coremans gagna son procès, et les héritiers Van Beuningen furent condamnés à lui verser une indemnité conséquente, ainsi que le paiement des frais judiciaires.

L'acharnement maniaque de Van Beuningen paraîtra plus compréhensible quand nous aurons expliqué qu'en effet, durant quelques années, *La Cène* de VM fut au centre d'un véritable mystère. Radiographiée par Coremans en 1945, la toile révéla de larges zones, très bien visibles, de la peinture sous-jacente : une scène de chasse avec des chiens et des cavaliers. Sous la silhouette du Christ apparut un chien flairant une perdrix. Ce fait contredisait totalement les déclarations faites par VM au procès : le faussaire avait affirmé que la toile sur laquelle il avait peint *La Cène* représentait non pas une scène de chasse, mais deux enfants sur une charrette décorée, tirée par une chèvre. Il avait même réalisé un dessin au crayon, afin de montrer la scène telle qu'il se la remémorait.

En 1948, plus de trois ans après la confession de VM et à huit mois de distance de sa mort, Jean Decoen, le critique belge, accusait toujours la commission Coremans d'avoir ourdi une conspiration criminelle contre son principal allié qui, comme nous venons de le voir – curieuse coïncidence – était justement l'armateur Daniel George Van Beuningen. Il ne fallait pas s'étonner outre mesure d'une telle communion d'intentions entre Decoen et le riche armateur : Van Beuningen avait déboursé une somme colossale pour faire entrer dans sa collection un misérable Van Meegeren au lieu d'un précieux, d'un inestimable Vermeer, et il aurait fort apprécié de voir *rétablir la vérité* (celle de Decoen, tout au moins) de manière à pouvoir récupérer sa mise et rentrer en possession du Vermeer qu'il croyait avoir acheté ; alors que, dans le cas inverse, il aurait jeté son argent par la fenêtre.

La vérité de Decoen, scandaleuse et paradoxale, était la suivante : sur la base des vérifications techniques, *Le Christ à Emmaüs* et *La Cène* de VM devaient non seulement être considérés comme d'authentiques Vermeer, mais être rangés parmi les plus grands chefs-d'œuvre du maître. La thèse de Decoen était peut-être intéressante, à défaut d'être géniale, mais malheureusement son argumentation était plutôt alambiquée. D'après Decoen, VM s'était procuré deux Vermeer authentiques et les avait utilisés comme sources d'inspiration pour ses faux. Puis il s'était proclamé auteur des deux Vermeer afin de s'attirer une estime, une admiration et une célébrité bien supérieures à celles dont il aurait joui s'il ne s'était déclaré responsable que des quatre derniers faux Vermeer, beaucoup moins réussis du point de vue artistique (et en effet, dans un sondage réalisé juste avant le procès, la popularité de VM aux Pays-Bas concurrençait celle du Premier ministre). Decoen estimait donc que Coremans et les autres membres de la commission avaient un intérêt caché et inavouable à soutenir l'authenticité des résultats obtenus au terme de l'enquête – à savoir que les deux De Hooch et les six Vermeer attribués à VM étaient tous des faux.

Pour embrouiller encore plus les choses et épaissir le mystère qui entourait *La Cène*, Coremans reçut, le 27 septembre 1948, une lettre de son éminent collègue Van Schendel, conservateur du Rijksmuseum ; elle contenait un document fondamental découvert par lui-même à Amsterdam. Il s'agissait de la photographie d'un tableau que les frères Douwes, des marchands d'œuvres d'art très connus dans la ville, affirmaient avoir vendu à VM en mai 1940 pour la somme de mille florins. Cette peinture représentait une scène de chasse et était attribuée à Hondius, un mineur hollandais du XVIIe siècle. En comparant la photographie de certains détails de la scène et les zones de la peinture sous-jacente de *La Cène* de VM, telles qu'elles apparaissaient à travers les radiographies, on découvrit de nombreuses ressemblances. D'après les comptes rendus des interrogatoires que la police avait fait subir à VM avant le procès, celui-ci avait effectivement déclaré s'être servi d'une toile de Hondius représentant une scène de chasse, achetée dans le magasin des frères Douwes vers le mois de mai 1940, non pas pour réaliser *La Cène*, mais un de ses derniers faux, sur le plan chronologique. Le reçu des frères Douwes attestait, sans aucun doute possible, que le Hondius avait été vendu le 29 mai 1940. Mais, fit observer Decoen, si *La Cène* avait vraiment été peinte sur cette toile (comme le soutenait Coremans et comme le démontraient formellement les analyses radiographiques), comment VM avait-il pu en faire à Boon une description détaillée, dans la lettre qu'il lui avait envoyée onze mois plus tôt ?

A ce moment-là, la bataille entre les partisans de Coremans et les amis de Decoen reprit de plus belle. La nouvelle thèse de Coremans était la suivante : VM devait avoir peint deux versions de *La Cène*. L'une, qui n'avait jamais été vendue, avait été réalisée à Nice entre 1939 et 1940 en utilisant une vieille toile qui représentait deux enfants sur une charrette décorée et tirée par une chèvre – toile dont VM avait parlé, durant le procès. L'autre était celle acquise par Van Beuningen, peinte aux Pays-Bas en utilisant un tableau de Hondius, entre 1940 et 1941. Naturellement, Decoen jugea l'hypothèse de Coremans absurde et ridicule : il s'insurgea avec indignation contre ce rival odieux et se mit à crier au complot. Pendant des mois, il lança des attaques virulentes contre son adversaire, l'accusant d'escroquerie, renversant ses conclusions et essayant de démontrer que ses recherches n'avaient absolument rien prouvé. Decoen soutenait que le malhonnête Coremans et ses sous-fifres, désespérément en quête d'une preuve qui aurait mis fin à la querelle une fois pour toutes, et indifférents au risque d'être pris sur le fait avec de lourdes conséquences pour leur réputation, leur prestige et leur carrière, avaient ourdi une machination aussi gigantesque qu'obscure. Ils avaient fait réaliser un faux Hondius qui reproduisait dans les moindres détails la peinture sous-jacente de *La Cène*, l'avaient photographié, détruit et avaient convaincu les respectables frères Douwes d'insérer dans leurs archives de 1940 la photo incriminée. C'était une accusation si infamante que tout le monde s'attendait à ce que Coremans portât plainte pour diffamation, mais celui-ci n'engagea aucune poursuite contre Decoen.

Le fait est que la thèse de Coremans, de toute évidence, présentait un gros point faible : la première *Cène* présumée avait disparu sans laisser de traces. VM était mort et n'avait jamais parlé de cette peinture fantomatique qui, soit dit en passant, aurait pu être vendue dès 1939 grâce aux bons offices de Boon (lequel, comme nous l'avons déjà dit, s'était évanoui dans le néant entre-temps) et se trouver dans une collection privée, peut-être à l'étranger. Toutefois, l'hypothèse adverse, celle de Decoen, semblait tout aussi fragile : il soutenait qu'en 1939, VM avait acheté Dieu sait où une authentique *Cène* de Vermeer, peinte par-dessus une scène de chasse. Il en avait informé par lettre M. Boon, puis avait attendu pas moins de deux ans avant de vendre ce chef-d'œuvre. Les deux versions de *La Cène* de VM, dont parlait Coremans, n'existaient pas, d'après Decoen : la première était un Vermeer original, la seconde un faux commandité par Coremans lui-même.

La polémique entre Coremans et Decoen servit en tout cas à démontrer, de manière lumineuse, que dans le domaine de l'art, il n'existe aucune certitude, même lorsqu'il s'agit d'étudier les résultats techniques des analyses de laboratoire. De plus, il faut dire que ces dernières, dans le cas des faux de VM, furent largement facilitées par le fait que VM lui-même, durant le procès de 1947, révéla des détails fondamentaux de sa technique et précisa quelles substances modernes il fallait chercher dans ses toiles. Il n'est pas impossible de confirmer la présence du phénol, si l'on sait d'avance qu'il doit y en avoir. Il suffit de le faire réagir avec du chlorure de fer ou avec de l'eau de brome : dans le premier cas, il devient violet, dans le second, il produit un précipité blanc.

En réalité, de nombreux faussaires ont eu (et continuent à avoir) un incroyable succès en imitant le travail d'un maître vivant, ou mort depuis peu ; mais faire passer des tableaux peints entre

1937 et 1943, même vieillis artificiellement, pour des œuvres du XVIIe siècle, en échappant non seulement à l'œil du critique, mais aux analyses scientifiques les plus concrètes, relevait tout bonnement de l'exploit. Le fait que beaucoup de critiques – Decoen en tête, mais il n'était pas le seul – se soient obstinés à considérer *Le Christ à Emmaüs* et *La Cène* comme des Vermeer authentiques prouve de manière irréfutable que, si VM n'avait pas avoué les avoir peints lui-même, et si les analyses de laboratoire dirigées par Coremans n'avaient pas confirmé, par la suite, ses affirmations (analyses très contestées, comme nous l'avons vu, par d'autres critiques, techniciens et experts), on les considérerait aujourd'hui comme deux chefs-d'œuvre du maître de Delft. Et, en réalité, certains les jugent encore tels. *Le Christ à Emmaüs* serait encore accroché à un mur du Boymans Museum dans l'une des salles consacrées aux anciens maîtres (et il y resterait pour toujours) ; il serait considéré comme le clou de la collection, de même que l'*Intérieur aux buveurs* de la collection Van Beuningen serait considéré aujourd'hui comme l'une des œuvres les plus importantes de De Hooch. Mais même *Le Lavement des pieds*, le faux le moins réussi de VM, se trouverait toujours au Rijksmuseum et serait sans doute considéré non comme l'un des meilleurs Vermeer, mais comme une peinture digne d'intérêt. Par ailleurs, dans l'histoire de l'art, VM est le seul faussaire qui ait revendiqué publiquement ses méfaits. Mais même cela n'a pas suffi. Peut-être était-il impossible d'imaginer plus grand succès, pour un faussaire de génie : constater que même après sa “confession”, au moins deux de ses créations étaient toujours considérées par une foule de personnes comme d'authentiques Vermeer – comme des œuvres originales d'un des plus grands maîtres de la peinture du XVIIe siècle.

Déterminé à résoudre cet imbroglio, Coremans, en septembre 1949, décida de se rendre à Nice afin de fouiller la villa Estate ; durant les dix années écoulées depuis le brusque départ de VM et de sa femme, elle n'avait presque jamais été habitée. On y avait toutefois retrouvé quatre faux non vendus, et la police néerlandaise l'avait passée au peigne fin : il était donc difficile d'imaginer que Coremans aurait pu y faire une découverte qui eût étayé sa version des faits. La grande diligence déployée par l'inspecteur Wooning durant les perquisitions avait été abondamment louée durant le procès. Par contre, le 26 septembre, après quelques jours de recherches infructueuses, un coup de théâtre se produisit – mais peut-être vaudrait-il mieux parler de miracle. Pendant qu'il errait sans résultat à travers les deux cuisines et dans le couloir de la cave, où le jardinier de VM avait amoncelé les objets abandonnés par son employeur, Coremans remarqua deux grosses feuilles de contreplaqué superposées. Incroyable, mais vrai : elles n'avaient pas été repérées par l'avisé Wooning durant les investigations qu'il avait menées quatre années auparavant. Lorsqu'il sépara les feuilles, Coremans eut l'énorme surprise, et l'immense satisfaction, de voir apparaître sous ses yeux… la première version de *La Cène*, de VM, naturellement.

Decoen et ses partisans réagirent avec une fureur prévisible devant la "découverte", chanceuse et providentielle, de Coremans. Ils se hâtèrent de proclamer aux quatre vents que – comme dans le cas du Hondius – la toile retrouvée par le malin rival était un faux commandité par Coremans lui-même, pour soutenir, de manière irréfutable, la justesse de ses affirmations. Pourquoi donc, se demandait-on aussi, VM aurait-il dû abandonner dans la villa Estate un faux aussi important et aussi élaboré ? Il aurait pu le vendre, dans l'espoir, raisonnable, d'en tirer un certain profit. Decoen alla jusqu'à soutenir qu'il s'était lui-même introduit dans la villa Estate avec l'aide du jardinier, quatre jours avant l'arrivée de Coremans (c'est-à-dire le 22 septembre), et qu'il n'avait trouvé aucune trace des fameuses feuilles de contreplaqué.

Le duel, long et acharné, qui opposait Decoen et Coremans s'acheva inévitablement en faveur de ce dernier, lorsqu'il réussit à frapper un grand coup. En effet, il retrouva le reçu d'un antiquaire parisien, prouvant que le 11 octobre 1938, VM avait acheté auprès de celui-ci une grande toile de Govaert Flinck. Le reçu comportait une description détaillée et une photographie du tableau. Flinck, un peintre contemporain de Vermeer, n'était certes pas un inconnu ; et en effet, pour se le procurer, VM avait dû débourser 15 000 francs. L'aspect le plus intéressant de la question, toutefois, concernait le sujet du tableau, qui était… deux enfants sur une charrette tirée par une chèvre, voyons ! Le même que celui qui, d'après Coremans, avait été utilisé par VM pour y peindre la première version de *La Cène*.

Il est vrai que sur le tableau de Flinck, outre les enfants, on pouvait compter pas moins de onze personnages, parmi lesquels cinq chérubins qui batifolaient joyeusement entre les nuages ; en outre, les dimensions de la toile étaient très différentes de celles de *La Cène* de VM. Mais Coremans soutint, illustrant sa théorie avec des diagrammes, que VM avait découpé la toile en trois parties, éliminant un morceau et en remontant un autre à l'horizontale, pour obtenir une toile de forme rectangulaire, au lieu du carré quasi parfait de l'original. Fou de rage, Decoen tenta de soutenir que VM n'aurait jamais détruit le travail d'un maître aussi apprécié que Govaert Flinck, surtout après l'avoir payé 15 000 francs. Mais Coremans eut beau jeu de lui répliquer qu'il n'était absolument pas simple de trouver une toile du XVIIe siècle en bon état et, de surcroît, avec un réseau de craquelures bien dessiné. Si le tableau de Flinck présentait ces caractéristiques rares, il était ridicule de penser que VM aurait pu être freiné par le prix – une bagatelle pour lui, à l'époque – et qu'il aurait pu hésiter un tant soit peu à détruire un support parfaitement adapté à ses projets.

Quant aux modifications apportées par VM aux dimensions de la toile et à l'allongement artificiel qui en avait découlé, son comportement s'expliquait justement par l'extrême difficulté qu'il y avait à trouver une toile du XVIIe siècle de grand format, pour le prix, somme toute abordable, payé par VM à l'antiquaire parisien. Donc, pour obtenir le résultat souhaité, VM avait dû manipuler le matériel qu'il avait sous la main et, pour ainsi dire, se débrouiller tout seul. Il avait coupé et remonté la toile, puis (comme il l'avait fait pour *Le Christ à Emmaüs*) avait gratté les personnages de Flinck – la charrette, les enfants, les chérubins armés de mandolines – et n'avait préservé que la dernière couche de peinture, avec les craquelures d'origine. Le tour était joué. Un nouveau chef-d'œuvre était prêt, les plus importants collectionneurs néerlandais n'avaient plus qu'à se l'arracher.

XIX

Le procès sensationnel contre Han Van Meegeren, en réalité, s'avéra d'une rapidité sidérante : cinq heures et demie en tout, une seule journée d'audience, dix-sept témoins entendus en moins de deux heures (sept minutes chacun, en moyenne) ; le reste du temps fut consacré aux harangues de l'avocat général et de l'avocat de la défense, et aux déclarations laconiques de VM, en guise de clôture. En effet, toute l'histoire était désormais connue dans les moindres détails, et les débats ne pouvaient rien apporter que l'on ne sût déjà. Mais avant que le procès ne commence, personne n'aurait pu imaginer qu'il serait aussi bref, même si on ne pouvait le comparer au procès de Nuremberg : le destin de VM passionnait l'opinion publique et suscitait l'intérêt sur une vaste échelle, et le processus judiciaire constituait ce qu'aujourd'hui, on appellerait inévitablement un “événement médiatique”.

Et donc, avant l'aube, le 29 octobre 1947, face à la quatrième chambre de la cour d'assises d'Amsterdam, une immense queue d'aspirants spectateurs s'était formée, et les journalistes étaient présents en masse. Ils venaient de France, de Grande-Bretagne, des Etats-Unis, du monde entier, prêts à décréter gloire immortelle pour Han Van Meegeren, cinquante-huit ans, le faussaire le plus célèbre du monde. Le bruit s'était répandu que celui-ci, pourtant obligé de mener une vie beaucoup plus spartiate après sa banqueroute, n'avait pas réussi à se refaire une santé : son état physique, fragile, était déjà miné par toutes sortes d'excès. Les chroniqueurs qui se pressaient au tribunal étaient donc prêts à tracer le portrait, plutôt sombre, d'un homme détruit, d'un artiste rongé par son propre génie, drogué au dernier degré, aux cheveux précocement blancs, au visage creux et émacié, esclave de la morphine et ayant subi une série de crises cardiaques – les spécialistes de la clinique Valerium, où il avait été hospitalisé pendant l'été, avaient diagnostiqué une angine de poitrine.

Pourtant, ce 29 octobre fatidique – date de son triomphe –, VM s'efforça de se montrer au monde sous son meilleur jour. Au public qui se pressait dans la salle, il apparut en grande forme, sûr de lui, affable et tiré à quatre épingles, insouciant et désinvolte. Il s'était rasé avec soin, avait fait épointer et égaliser sa petite moustache et portait un élégant complet bleu foncé, une chemise bleu ciel et une cravate assortie. Il était venu à pied de chez lui, talonné le long du Prinsengracht par une nuée de reporters et de photographes avec lesquels il avait aimablement plaisanté. Une fois dans la salle du tribunal, il avait salué, étreint et embrassé ses deux enfants, Jacques et Inès, et sa deuxième ex-femme, Jo. Jacques portait un beau costume gris et ne faisait pas ses trente-cinq ans ; Inès était devenue une jeune femme d'une beauté lumineuse, à l'allure à la fois sobre et raffinée. Jo était névrosée et fascinante, comme toujours, splendide dans son tailleur austère, en velours noir. Rayonnant, VM était retourné poser pour les photographes, répondant à leurs appels et à leurs invitations comme une star du cinéma, jouant à ôter et à remettre ses petites lunettes sur son nez et arborant un sourire ravi. Il n'avait pas caché sa satisfaction légitime en remarquant, au-dessus de la dernière rangée de bancs, un écran géant, destiné à la projection des diapositives de M. Coremans. Mais, surtout, il était impossible de ne pas s'apercevoir que le portrait de la reine, derrière le siège sur lequel était assis le président de la Cour, le juge Boll, semblait insignifiant, comparé à ses chefs-d'œuvre. *Le Christ à Emmaüs* et *La Cène*, en effet, étaient magnifiques, exposés en grande pompe sur la paroi principale ; quant aux autres faux accrochés çà et là, ils finissaient de transformer la salle du tribunal en une curieuse galerie d'art et en exposition personnelle, en son honneur. C'était justement le genre de succès et de reconnaissance publique dont VM avait toujours rêvé pendant trente ans.

Tous les acteurs du drame – ou de la farce – étaient réunis dans la salle pour assister à son apothéose. Il ne manquait que MM. Boon, Van Strijvesande et Aloïs Miedl – tous trois disparus pendant la guerre sans laisser de traces. L'absence d'Abraham Bredius et de Hermann Goering était justifiée : ils étaient morts (Bredius de vieillesse, heureusement). Au premier rang se trouvaient les experts : outre Coremans, il y avait les autres membres de la commission – Altena, Froentjies, Schneider et les deux Anglais Rawlins et Plenderleith. Il y avait aussi De Wild, en tant que membre de la commission et expert dupé par VM – une situation plutôt embarrassante. Etaient également présents les "agents" de VM, Kok et Strijbis, ainsi qu'un éminent psychiatre, le Dr Van der Horst, qui avait réalisé un volumineux profil psychologique du faussaire. Mais il y avait aussi les victimes de VM : Hannema, Hoogendijk, De Boer, Van Dam, Van der Worm et le pugnace armateur Daniel George Van Beuningen, dont nous avons déjà évoqué le destin dans le chapitre précédent.

A dix heures pile, Wassenbergh, l'avocat général, lut les chefs d'accusation contenus dans huit pages dactylographiées. VM, en substance, était accusé d'avoir obtenu de l'argent frauduleusement et d'avoir apposé de fausses signatures sur des tableaux, afin de tromper les acheteurs, conduite sanctionnée par les articles 326 et 326B du code pénal. Quand le juge Boll lui demanda s'il se reconnaissait coupable des faits qui lui étaient imputés, VM n'eut aucune hésitation et répondit oui. Après quoi, Coremans illustra, à l'aide de quelques diapositives, les résultats auxquels la commission était parvenue. Il parla une demi-heure, interrompu de temps à autre par Boll qui s'adressait à VM pour lui demander s'il partageait les affirmations de Coremans – à quoi VM répondait invariablement "bien sûr", "certainement", "je suis parfaitement d'accord", "c'est tout à fait cela", ou en utilisant des expressions similaires. Lorsque Coremans eut fini son intervention, Boll demanda à VM son avis sur ce qu'il venait d'entendre. "Un travail excellent, je dirai même phénoménal, commenta VM sur un ton plutôt sarcastique, suscitant l'hilarité de l'assistance. Désormais, je le crains, on ne pourra plus refiler un magnifique faux à personne."

A onze heures, Coremans fit savoir qu'il devait prendre un avion pour New York et obtint la permission de s'éloigner. Après son départ, on entendit les témoignages de De Wild, De Boer,

Froentjies, Altena, Strijbis et Hoogendijk. En ce qui concerne les deux derniers, on ne peut pas dire que leur implication dans les affaires de VM leur ait porté chance, au bout du compte. En effet, lorsque VM avait avoué publiquement, Hoogendijk avait été obligé de rendre aux acheteurs qu'il avait trompés sans le savoir une bonne partie des commissions reçues pour la vente de cinq faux. La somme s'élevait à environ un demi-million de florins, mais à part ce débours important, Hoogendijk n'avait pas souffert d'autres inconvénients car il avait toujours déclaré ses rentrées d'argent au fisc. L'imprévoyant Strijbis, en revanche, avait allègrement déclaré ne posséder aucun reçu relatif aux transactions contestées. Comme on estimait qu'il avait encaissé, sans les déclarer, environ 540 000 florins, il avait été condamné à payer des arriérés pour une somme si vertigineuse qu'il avait dû fermer son agence immobilière et se déclarer en faillite.

Quand le juge Boll demanda à Hoogendijk comment il avait pu croire que *La Bénédiction de Jacob* était un Vermeer, le célèbre antiquaire lui répondit : "Il est difficile de l'expliquer. Cela semble incroyable, mais j'ai été trompé. Nous sommes tous tombés de plus en plus bas – de l'*Emmaüs* au *Jacob*, de *Jacob* au *Lavement des pieds*. Peut-être un psychologue pourrait-il expliquer beaucoup mieux que moi ce qui s'est passé." Peut-être un psychologue aurait-il pu expliquer pourquoi, pendant que le goût des experts tombait de plus en plus bas, les prix des VM atteignaient des sommets. Peut-être, tout simplement, parce que la corrélation entre les deux phénomènes était très étroite. En tout cas, tout de suite après Hoogendijk, ce fut le tour du psychiatre, Van der Horst : ce dernier définit VM comme “un homme hypersensible aux critiques, obsédé par des rêves de vengeance, dénué d'équilibre mais pleinement responsable de ses actes”. Considérant qu'un caractère aussi asocial que celui de VM aurait beaucoup souffert en isolement, il se déclara opposé à une incarcération.

L'audience arrivait désormais à son terme, quand le juge Boll redemanda à VM, pour la dernière fois, s'il admettait avoir peint lui-même les six faux Vermeer et les deux faux De Hooch. VM répéta, implacablement, qu'il était coupable. Cependant, il tint à ajouter qu'il avait été obligé de vendre ces peintures pour un prix très élevé, car s'il ne l'avait pas fait, tout le monde aurait immédiatement compris qu'elles n'étaient pas authentiques. Mais le mobile qui l'avait poussé à créer ces tableaux n'était pas l'argent ; c'était *le désir de peindre*, une impulsion mystérieuse et obsédante, qu'il n'avait pu contrôler. Sur cette réplique éclairante, le dialogue entre Boll et VM, au lieu de se poursuivre, s'acheva.

Wassenbergh, l'avocat général, prit la parole et se livra à une harangue qui dura une heure environ. Conscient que la sympathie du public allait à l'accusé, il ne voulut pas s'acharner sur lui. Il le traita avec beaucoup d'égards et se limita à contester la thèse fondamentale de VM. Il affirma qu'il n'incombait pas au tribunal d'établir si VM était ou non un peintre de génie, mais que, certainement, le faussaire n'avait pas agi parce qu'il se considérait comme un grand artiste incompris – et donc dans l'espoir d'être universellement reconnu comme un maître. S'il en avait été ainsi, tôt ou tard il aurait dit la vérité et n'aurait pas attendu d'être démasqué par les événements, de manière fortuite. Et donc il devait être retenu coupable des chefs d'accusation qui lui étaient imputés, et pour lesquels le code pénal prévoyait une peine de quatre ans de prison au maximum. Mais compte tenu de l'état de santé de l'accusé, de l'avis du psychiatre et des circonstances atténuantes, la peine requise pouvait être réduite de moitié. Les faux devaient être rendus à leurs propriétaires ; la Cour déciderait de leur destruction éventuelle.

Puis ce fut le tour de Heldring, l'avocat de la défense. Il parla moins d'une heure et se livra à une plaidoirie spirituelle, fine et persuasive. Il définit son client comme "un homme extrêmement intelligent, généreux et plein de charme, mais incapable de supporter les critiques et les échecs". Il interpréta ensuite toute son activité de faussaire comme une manœuvre défensive contre les attaques venimeuses des critiques qui, pendant des années, avaient essayé de le détruire et avaient fini par briser sa carrière : ce qui, d'une certaine manière, avait presque obligé Han Van Meegeren à *devenir* Vermeer. En tout cas, du point de vue légal, aucune fraude avérée n'avait eu lieu, durant les ventes. On n'avait jamais affirmé que telle toile était un Vermeer, ou plutôt un De Hooch, ni même qu'elle aurait pu l'être. C'étaient les experts, les antiquaires et les acheteurs qui l'avaient décidé. Le seul reproche que l'on pouvait faire à VM était d'avoir falsifié les signatures, pas les tableaux ; mais dans le monde de l'art, chacun sait très bien qu'une signature n'est jamais la preuve absolue de l'authenticité d'un tableau. Heldring demanda donc que son client soit déchargé de l'accusation relative à l'article 326 ; en ce qui concernait la falsification des signatures, il requit la liberté conditionnelle et souhaita que l'on procède avec la plus grande clémence.

Le juge Boll acquiesça, plein de compréhension, et demanda à VM s'il avait une dernière déclaration à faire. VM resta assis, immobile, fixant le vide, pendant un temps qui parut une éternité. Puis, cueillant à froid public, juges et avocats, il dit que dans la *Recherche* de Marcel Proust, le personnage de Charles Swann, projetant d'écrire une étude sur Vermeer, est convaincu que *Diane et ses nymphes* – peinture au sujet mythologique achetée par le Mauritshuis en tant qu'œuvre de Nicolaes Maes – est, en réalité, un Vermeer. Malheureusement pour Proust et pour Swann, et pour toutes leurs belles théories sur l'art, ce tableau était un faux : donc, il n'était pas de Vermeer, ni même de Maes. A la fin de cette déclaration inquiétante et sibylline, VM resta encore un long moment silencieux. Le juge Boll, avec une politesse exquise, lui demanda : "C'est tout ?" Dans la salle bondée, on aurait pu entendre voler une mouche. VM fixa de nouveau le plafond, puis répondit : "C'est tout." Le juge acquiesça et déclara la séance levée. VM essuya la sueur qui coulait sur son front avec un petit mouchoir de soie et se leva, vacillant, pour sortir. Au même instant, les deux cents spectateurs qui se pressaient dans la salle se levèrent comme un seul homme, en même temps que lui. Une éclatante ovation en son honneur s'éleva. Surpris et hébété, VM leva les bras au ciel en signe de victoire. Pleurant et sanglotant, heureux comme un enfant, il serra une multitude de mains, sourit à tout le monde, étreignit Jo, Jacques et Inès. Une minute plus tard, le héros national se dirigeait à pied, en titubant, vers sa splendide demeure sur le Keizersgracht, entre deux haies de spectateurs qui l'applaudissaient.

XX

Le verdict fut prononcé quinze jours plus tard, le 12 novembre 1947. Han Van Meegeren fut jugé coupable des deux violations de la loi qui lui avaient été imputées, et fut condamné à un an de prison – la sentence le plus légère possible. Il ferait l'objet d'un contrôle médical rigoureux et, compte tenu de son état de santé précaire, il passerait probablement cette année dans un hôpital ou une clinique. Le juge Boll ordonna que les faux Vermeer soient rendus à leurs propriétaires légitimes : *Le Christ et la Femme adultère*, le clou de la collection de Goering, devint propriété de la couronne néerlandaise. *Jésus et les docteurs du Temple* fut remis à VM lui-même, tout comme les faux "expérimentaux" que l'inspecteur Wooning avait retrouvés dans la villa de Nice. Ils seraient mis en vente en même temps que les autres biens de VM, afin de payer ses dettes envers l'Etat néerlandais et envers les particuliers concernés par les fraudes.

Jésus et les docteurs du Temple fut acheté lors d'une vente aux enchères organisée par un antiquaire de La Haye, pour le prix de trois mille florins ; plus tard, il fut cédé à Sir Ernest Oppenheimer, avant de se retrouver, pour finir, dans une église de Johannesburg. *Le Christ et la Femme adultère*, en revanche, fut acheté par le

Stichting Nederlands Kunstbezit de La Haye. Les autres œuvres de VM furent vendues aux enchères par ses héritiers, en 1950. Elles rapportèrent la somme, peu exaltante, de 226 599 florins. *Le Christ à Emmaüs*, quant à lui, resta au Boymans Museum, mais, enlevé du pavillon consacré à l'art ancien, il fut exposé dans un coin du secteur consacré à la peinture contemporaine. Ainsi, par une ironie du sort que VM aurait trouvée atroce, "son" Vermeer se retrouva accroché à côté d'œuvres de Picasso, de Van Doesburg, de Mondrian, les artistes modernes "dégénérés" qu'il avait toujours haïs.

Une fois le procès fini et la sentence prononcée, il restait deux semaines pour faire appel : mais Heldring, l'avocat de VM, préféra adresser une pétition à la reine, afin d'obtenir la grâce de son client. L'avocat général, Wassenbergh, lui fit savoir, par des voies officieuses, qu'il ne s'y opposerait pas. Mais VM n'eut pas besoin d'obtenir la grâce de la reine pour retrouver, à sa manière, la liberté. Le 26 novembre, il fut hospitalisé à la clinique Valerium, dans un état quasi désespéré : il avait eu une énième attaque et se retrouvait presque paralysé. Deux autres semaines, interminables, passèrent ; au terme de celles-ci, les médecins de la clinique annoncèrent que le célèbre faussaire se rétablissait, fût-ce très lentement. Par contre, Jo, Jacques et Inès trouvaient VM de plus en plus prostré. Le soir du 29 décembre, sans crier gare, VM sauta sur son lit comme un ressort et dit à l'infirmière qu'il voulait rester seul avec Jo. Inès et Jacques n'étaient pas présents car, tard dans la soirée, ils étaient rentrés se coucher dans la grande demeure sur le Keizersgracht. L'infirmière ne parut pas accueillir favorablement la demande péremptoire de VM. Les yeux hagards, VM intima à Jo de chasser l'importune. Sa demande exaucée, il lui demanda de l'aider à se mettre à la fenêtre. Jo tenta de l'en dissuader mais, cette fois aussi, VM ne voulut pas entendre raison. Il repoussa violemment les draps, se leva péniblement et s'agrippa au bras de son ex-femme.

Dehors, la rue qui formait un angle avec le parc de la clinique était un désert de brume bleuâtre, stagnante. L'éclairage était plutôt faible et le silence s'étalait telle une flaque d'huile. Une nuée de pinsons frigorifiés voletait autour d'un réverbère qui diffusait une lueur blafarde. Le vent soulevait des ordures et des bouts de papier sur les trottoirs crottés. Soudain, VM annonça que c'était l'aube. Puis il vit s'élargir, entre les nuages, une trouée triangulaire, une fissure d'un bleu timide. Au prix d'efforts douloureux, un rayon de lumière livide commençait à filtrer dans le brouillard épais qui enveloppait Amsterdam. Une pâle caricature de soleil se dessina, sur le fond grisâtre et brumeux. Une pluie implacable se mit à tomber en crépitant. Puis un éclair déchira la pâle étendue du ciel, avec une lueur éblouissante.

VM retourna se pelotonner sous les couvertures. La chambre était plongée dans une pénombre hostile, qu'imprégnait l'odeur forte des médicaments. Inquiète, Jo scruta longuement le visage du faussaire : il lui parut violacé, gonflé, comme déformé par le désespoir – le visage de quelqu'un qui vient d'échapper, par hasard, à un massacre. Mais VM ne ressentait pas du tout cette sensation. Au contraire. Il révéla à Jo qu'il faisait jour. Ils étaient encore seuls – Inès et

Jacques étaient toujours à la maison, l'infirmière avait disparu au fond du couloir. VM continuait à voir une lame de lumière bleue qui filtrait par la fenêtre embuée. Il demanda à Jo d'ouvrir la fenêtre – mais évidemment, celle-ci resta bien fermée. Un mur de verre. VM toussa longuement, puis il dit à Jo que la fenêtre n'avait plus d'importance. Il suffisait qu'elle le regarde dans les yeux, et il y avait de la lumière. Jo trouva que c'était une idée charmante. VM lui effleura la main d'un baiser. Puis, brusquement, il s'endormit, et dans la chambre tout se tut.

Une heure plus tard, VM se réveilla. Sa voix, qui se réduisait à un chuchotement, susurra que nous sommes hôtes de la vie, tous, pour si peu de temps, et que vivre, au fond, n'est qu'une habitude. Et donc personne ne devait pleurer sur lui, car il n'avait pas gâché son temps et ses jours. Il avait consacré sa vie à l'art et à la beauté. Il avait choisi la seule chose nécessaire. La meilleure part de lui-même, celle qui ne lui serait jamais ôtée. Epuisé par ce long monologue, il retomba sur son oreiller, avec un râle. Mon Dieu, se dit Jo, quels propos bizarres et macabres. Il y avait quelque chose d'effrayant, dans cette vie dévastée pour toujours. Et quelque chose de terrible, dans cet adieu à un homme qu'au fond, elle n'avait jamais connu. La vie est suspendue à un fil, d'accord, mais – essaya-t-elle de se consoler – peut-être rien ne nous rend-il plus grands que la douleur. Elle poussa un soupir de soulagement en s'apercevant que VM s'était rendormi. La gorge nouée, elle s'approcha de nouveau de la fenêtre : au-dessus des canaux d'Amsterdam tremblotaient les lumières obliques des réverbères, et la pluie commençait à se transformer en neige.

Un instant encore et, dans son sommeil, VM eut un tressaillement. Le médecin, qui se présenta quelques minutes plus tard, dit à Jo qu'il n'y avait plus rien à faire. Une autre crise cardiaque – désormais, ce n'était plus qu'une question d'heures, hélas. Néanmoins, durant la nuit, se raccrochant obstinément à la vie, VM ouvrit brusquement les yeux et tenta de communiquer quelque chose à Jo. Mais aucun son ne sortit de sa bouche. Ou peut-être Jo ne parvint-elle pas à déchiffrer ce que le faussaire essayait de lui dire. VM souleva la tête, puis la laissa retomber de nouveau sur l'oreiller. Jo cria pour appeler le médecin ; celui-ci arriva sans se hâter, se pencha sur le corps inerte et déclara que, cette fois, VM s'en était allé pour toujours. Foudroyé. Une attaque d'apoplexie, probablement. C'est ainsi que Han Van Meegeren, alias VM, disparut du théâtre du monde, selon le même scénario que le personnage littéraire de Bergotte, passé de vie à trépas devant le minuscule pan de mur jaune de la *Vue de Delft*, dans une page écrite par Marcel Proust, à Paris, un lointain soir de mai 1921. Mais, surtout, il mourut comme était mort, deux cent soixante-douze ans plus tôt, dans une demeure glaciale de Delft, le peintre mystérieux qui, sur cette terre, pour un court laps de temps, avait pris le nom de Joannis Reynierszoon Vermeer.

NOTE DE L'AUTEUR

Dans l'introduction au roman qu'il a consacré à l'empereur Julien, Gore Vidal raconte avoir rencontré l'historien Moses Finley dans la bibliothèque de l'Académie américaine, à Rome. Vidal, qui se documentait pour écrire un livre, demande son avis à Finley sur un de ses collègues qui a travaillé sur Zarathoustra. "Est-il crédible ? – Il est le meilleur dans ce domaine", répond Finley. Et il ajoute : "Evidemment, comme nous tous, il invente tout ce qu'il écrit." On pourra trouver cette affirmation paradoxale, mais je suis convaincu, moi aussi, qu'une bonne dose d'invention est nécessaire pour raconter de manière efficace ce grand roman qu'est l'histoire. Le même effort d'imagination, donc, devrait être déployé lorsqu'on veut raconter le "passé" sous forme de narration. Ceci dit, il me semble utile d'informer le lecteur que *La Double Vie de Vermeer*, tout en constituant la version littéraire d'une histoire "qui s'est réellement passée", est rigoureusement fidèle aux sources, aux informations, aux documents – là où cela était possible, naturellement, et tout en gardant à l'esprit le caractère "narratif", qui est le propre de tout matériau écrit, quel qu'il soit. Par ailleurs, l'aventure dont Han Van Meegeren fut le héros (avec des partenaires aussi exceptionnels que Vermeer, Proust et Goering) est si romanesque qu'il eût été dommage, voire stupide, de la modifier, ou, pire encore, de la mettre en scène en s'abandonnant aux envolées d'une imagination avide d'anecdotes : heureusement pour moi, je n'en suis pas suffisamment doté. Quoi qu'il en soit, il s'agit tout de même d'une histoire qui se déroule entre 1632 et 1947 : pour la réinventer et la reconstruire aujourd'hui, j'ai dû travailler sur la structure, la composition, le rythme, les personnages, avec une stratégie combinatoire qui me permette de tirer les meilleures mélodies de la musique que je voulais jouer. Mais la partition originale n'est pas de moi.

C'est étrange : je ne me souviens ni où ni quand je suis tombé, pour la première fois, sur l'histoire de VM. De toute évidence, donc, l'idée de ce livre a vécu une vie étriquée, durant de longues années, dans le giron hostile de ma mémoire. Puis, à la fin, j'ai sans doute décidé que tant d'héroïsme devait être récompensé et que cette idée méritait d'exister. Mais, naturellement, je n'aurais jamais pu écrire ma version de l'aventure de VM sans recourir à une solide bibliographie ; je la signale très volontiers au lecteur qui souhaiterait approfondir à sa manière l'aventure du grand faussaire, même si, dans ce cadre, il me semble opportun de n'indiquer que les ouvrages dont la consultation est la plus utile et aisée, et de négliger les sources néerlandaises plus ardues – tout au moins du point de vue linguistique (journaux et revues d'époque, textes critiques, anthologies, notices bibliographiques). Je dirai qu'en substance il y a quatre lectures fondamentales : *Van Meegeren's Faked and De Hoochs*, de P. B. Coremans (Amsterdam, 1949) ; *Retour à la vérité* de J. Decoen (Rotterdam, 1951) ; *Master Art Forger. The Story of Han Van Meegeren* de J. Godley (New York, 1951) ; *The Van Meegeren Mystery* de M. Moisewitsch (Londres, 1964). En langue italienne, le seul texte important est un bel article de C. Ragghianti, "L'affaire Van Meegeren", publié dans la revue *La Critica d'arte*, 1950, fasc. XXXI.

BABEL

Extrait du catalogue

699. CLAUDE PUJADE-RENAUD
Les Enfants des autres

700. FRANÇOISE LEFÈVRE
Le Petit Prince cannibale

701. PASCAL MORIN
L'Eau du bain

702. ORNELA VORPSI
Le Pays où l'on ne meurt jamais

703. ETGAR KERET
Crise d'asthme

704. YOKO OGAWA
Une parfaite chambre de malade

705. HUBERT NYSSEN
Lira bien qui lira le dernier

706. INTERNATIONALE DE L'IMAGINAIRE N° 20
Cultures du monde

707. IMRE KERTÉSZ
Liquidation

708. SONALLAH IBRAHIM
Warda

709. SEAMUS DEANE
A lire la nuit

710. DIDIER-GEORGES GABILY
L'Au-Delà

711. VLADIMIR POZNER
Le Mors aux dents

712. AKI SHIMAZAKI
Tsubaki

713. LISE TREMBLAY
La Héronnière

714. ALICE FERNEY
Dans la guerre

715. NANCY HUSTON
Professeurs de désespoir

716. SELMA LAGERLÖF
Des trolls et des hommes

717. GEORGE SAND
L'Homme de neige

718. JEAN MARCHIONI
Place à monsieur Larrey

719. ANTON TCHEKHOV
Pièces en un acte

720. PAUL AUSTER
La Nuit de l'oracle

721. PERCIVAL EVERETT
Effacement

722. CARINE FERNANDEZ
La Servante abyssine

723. ARNAULD PONTIER
La Fête impériale

724. INGEBORG BACHMANN
Trois sentiers vers le lac

725. CLAUDIE GALLAY
Seule Venise

726. METIN ARDITI
Victoria-Hall

727. HENRY BAUCHAU
L'Enfant bleu

728. JEAN-LUC OUTERS
La Compagnie des eaux

729. JAMAL MAHJOUB
La Navigation du faiseur de pluie

730. ANNE BRAGANCE
Une valse noire

731. LYONEL TROUILLOT
Bicentenaire

732. INTERNATIONALE DE L'IMAGINAIRE N° 21
Cette langue qu'on appelle le français

733. ALAIN LORNE
Le Petit Gaulliste

734. LAURENT GAUDÉ
Le Soleil des Scorta

735. JEAN-MICHEL RIBES
Musée haut, musée bas

736. JEAN-MICHEL RIBES
Multilogues *suivi de* Dieu le veut

737. FRANÇOIS DEVENNE
Trois rêves au mont Mérou

738. MURIEL CERF
Le Verrou

739. NINA BERBEROVA
Les Derniers et les Premiers

740. ANNA ENQUIST
Les Porteurs de glace

741. ANNE-MARIE GARAT
Nous nous connaissons déjà

742. JEAN DEBERNARD
Simples soldats *précédé de* Feuille de route

743. WILLIAM T. VOLLMANN
La Famille royale

744. TIM PARKS
Cara Massimina

745. RUSSELL BANKS
Histoire de réussir

746. ALBERTO MANGUEL
Journal d'un lecteur

747. RONALD WRIGHT
La Sagaie d'Henderson

748. YU HUA
Le Vendeur de sang

749. JEAN-PIERRE GATTÉGNO
Longtemps, je me suis couché de bonne heure

750. STEFANO BENNI
Saltatempo

751. PAUL BENJAMIN
Fausse balle

752. RAYMOND JEAN
L'Attachée

753. PAUL AUSTER
Lulu on the Bridge

754. CLAIRE FOURIER
Métro Ciel *suivi de* Vague conjugale

755. ANNE BRUNSWIC
Bienvenue en Palestine

756. COLLECTIF
Brèves d'auteurs

757. CLAUDE PUJADE-RENAUD
Chers disparus

758. LAURENT SAGALOVITSCH
Loin de quoi ?

759. PHILIPPE DE LA GENARDIÈRE
Simples mortels

760. AUGUST STRINDBERG
Mariés !

761. PASCAL MORIN
Les Amants américains

762. HONORÉ DE BALZAC
Voyage de Paris à Java

763. IMRE KERTÉSZ
Le Refus

764. CHI LI
Tu es une rivière

765. ANDREÏ GUELASSIMOV
La Soif

766. JEAN BARBE
Comment devenir un monstre

767. PER OLOV ENQUIST
Le Départ des musiciens

768. JOYCE CAROL OATES
Premier amour

769. CATHERINE DAVID
La Beauté du geste

770. HELLA S. HAASSE
Un long week-end dans les Ardennes

771. NAGUIB MAHFOUZ
Les Mille et Une Nuits

772. GHASSAN KANAFANI
Retour à Haïfa
(à paraître)

773. AKIRA YOSHIMURA
La Jeune Fille suppliciée sur une étagère

774. SIRI HUSTVEDT
Yonder

775. SELMA LAGERLÖF
Le Violon du fou

776. VLADIMIR POZNER
Les Brumes de San Francisco

777. NIKOLAÏ GOGOL
Théâtre complet

778. ALAN DUFF
Les Ames brisées

779. SIA FIGIEL
La Petite Fille dans le cercle de la lune

780. RUSSELL BANKS
American Darling

781. ALBERT SÁNCHEZ PIÑOL
La Peau froide

782. CÉLINE CURIOL
Voix sans issue

783. AKI SHIMAZAKI
Hamaguri

784. ALEXANDRE GRIBOÏÉDOV
Du malheur d'avoir de l'esprit

785. PAUL AUSTER
Brooklyn Follies

786. REZVANI
L'Eclipse

787. PIERRETTE FLEUTIAUX
Les Amants imparfaits

788. CHRISTIAN GOUDINEAU
L'Enquête de Lucius Valérius Priscus

789. EDUARDO BERTI
Madame Wakefield

790. NIKOLAÏ GOGOL
Les Nouvelles de Pétersbourg

791. ANNE BRAGANCE
La Reine nue

792. FRANÇOIS POIRIÉ
Rire le cœur

793. JOSÉ CARLOS SOMOZA
La Dame n° 13

794. PERCIVAL EVERETT
Désert américain

795. HODA BARAKAT
Les Illuminés

796. PAUL NIZON
Immersion

797. GÖRAN TUNSTRÖM
Partir en hiver

798. PAVAN K. VARMA
Le Défi indien

799. NAGUIB MAHFOUZ
Passage des miracles

800. YOKO OGAWA
La Petite Pièce hexagonale

801. ROY LEWIS
La Véritable Histoire du dernier roi socialiste

802. GLENN SAVAN
White Palace

803. BJARNE REUTER
Le Menteur d'Ombrie

804. CHRISTIAN SALMON
Verbicide

Ouvrage réalisé
par l'atelier graphique Actes Sud.
Reproduit et achevé d'imprimer
en janvier 2019
par Normandie Roto Impression s.a.s.
61250 Lonrai
sur papier fabriqué à partir de bois provenant
de forêts gérées durablement (www.fsc.org)
pour le compte des éditions
Actes Sud
Le Méjan
Place Nina-Berberova
13200 Arles.

Dépôt légal
1re édition : juin 2007.
N° d'imprimeur : 1900229
(Imprimé en France)